LAS CUATRO CARAS DE LA MUJER

CAROLINE WARD

MILLENIUM

1ª edición: octubre 2006

© Caroline Ward 2006
© Ediciones B Chile S.A., 2006
Monseñor Sótero Sanz 55, of. 600
Santiago, Chile

Impreso en Chile
ISBN: 956- 304- 022- 8

Impreso por Quebecor World Chile S.A.

Diseño
Francisca Toral

Traducción
Marisol García

Ilustraciones de los arquetipos de la Shakti
Marie Binder

LAS CUATRO CARAS DE LA MUJER

CAROLINE WARD

VERGARA
GRUPO ZETA

Barcelona • Bogotá • Buenos Aires • Caracas • Madrid • México D.F. • Montevideo • Quito • Santiago de Chile

Índice

A Dios, la Fuente, mi madre, padre, amigo, amado, el Confortador de mi Corazón, por aceptarme tal como soy y guiarme a diario, tan delicada y persistentemente.

A Joan, una madre creativa, amorosa y hermosa, cuyo espíritu pionero me hizo más fácil sumergirme en la fuente espiritual de la vida.

Agradecimientos

A Helen Chapman, la mujer que conceptualizó las Cuatro Caras, y cuya humilde inspiración a muchos nos ha liberado.

Angélica Fanjul y Marilén Wood, quienes con su visión y fe permitieron que este libro existiera.

A la "familia" Brahma Kumaris en Chile, por su amor hospitalario y su apoyo; especialmente, al equipo de las Cuatro Caras: Paz, Adrianita, Lucía, Claudia y Cecilia. Y a mi querida Gladys, por toda su preocupación.

A Marisol García, quien como un ángel hizo la traducción y edición de este libro tan fácil y ligera.

Gracias a María Adriana por su hermosa pintura de luz y a Francisca Toral por su paciencia, claridad y por su arte divino.

Gracias a muchas de esas mujeres quienes generosamente han compartido sus historias. En honor a su confianza, he cambiado nombres y algunas veces incluso lugares.

La lista de personas a las que agradecerles por este libro de ninguna manera está completa: Dadi Janki, un espíritu intrépido y una mentora de sabiduría infinita; Didi Nirmala, por su fe y apoyo; la hermana Jayanti, por su capacidad de escuchar, su ejemplo y su decisión; la hermana Mohini, por su sabiduría profunda, ancha y aterrizada; Sally, porque es un gran instrumento de verdad y porque siempre ha creído; Valeriane, de Costa Rica, por su belleza, fuerza, sabiduría y originalidad; Marcia, por su constante cooperación y su amor; mi querido Martin, cuya fe en mí es un apoyo; Pamela, por su constante amistad y por haberme enseñado a no tenerle miedo a los sentimientos; Joan, porque es el ejemplo de todo esto con sus ojos amorosos; Kev, porque me ama lo suficiente para convertir su preocupación en fe, ¡siempre!; Charlie, por su amor; Angélica, de Chile, de quien sigo aprendiendo sobre el poder de la decisión, el compromiso y la fe; Patricia, de Brasil, por su fe pionera y por haberme enseñado el arte de pertenecer; Donna, por su cuidado y porque es tan graciosa; Julie, por su corazón sostenedor; Collen, porque ella *es*; Steve, por su delicadeza y profundidad; mi querida amiga Rose, quien mientras curaba su dolor me ayudó a ver mi propia belleza; Silvana, por su increíble apoyo al comienzo de los "Diálogos con Mujeres de Espíritu"; Lenny, por su creatividad y coraje; Rose y Rachel, por sus espíritus valientes y creativos; Gaitiri, Ragini y las bellezas de la ciudad de Pamplemousse, en Mauricio; Anne, Rani y Armelle, de Francia; Njeri, Sheetal, Wangui y Angela, de Kenia; Morni y Devi, de Hong Kong; Marie-Lisette y Alice, de Holanda; Karin, Els y Marga, de Bélgica; Irene y Pat, de Boston; Jill y Nancy, de Nueva Zelanda; Belinda, de Sudáfrica; Agustina, Gabrielle y Moira, de Argentina; Simone, de Alemania, y muchos más.

A Susana, Klaus y Elisa, por haberme cedido tan generosamente su casa en la playa para escribir gran parte de este libro: muchas gracias.

A Baba y las maravillosas almas de Serra Serena, en Brasil, por un ambiente hermoso en el que terminar estas páginas.

Quiero reconocer y agradecer a la organización en la que he estudiado, practicado y desarrollado gran parte del trabajo contenido en este libro. La espiritualidad práctica y universal que he aprendido de la Brahma Kumaris World Spiritual University probablemente ha sido el mayor tesoro con el que he sido bendecida durante mi vida. Dirigida por mujeres de entre ochenta y noventa años, la universidad se erige sobre los principios del amor y la comprensión, compartiendo gratuitamente la sabiduría de la introspección y la conexión con Dios. Las Cuatro Caras de la Mujer es un programa. Para más información, visite www.bkwsu.org.

Cómo usar este libro

Éste no es un libro sobre "la verdad" *per se,* sino más bien una recopilación de lecciones, pensamientos en desarrollo e ideas a prueba, por lo que creo que es útil entenderlo como una colección de herramientas, invitaciones a la reflexión, espejos, estímulos y preguntas formuladas desde la apertura, el asombro y la curiosidad.

Herramientas

Sin duda existe una variedad de herramientas que pueden adoptarse y luego adaptarse al recorrido de cada una. Sospecho que tendrán que realizar dos tareas. La primera, convertir la herramienta en algo propio; o sea, entenderla dentro del contexto de mundo y las experiencias de vida de cada cual. La segunda, ponerla en práctica, creando así la experiencia de volverse uno con la herramienta.

Invitaciones a la reflexión

De acuerdo a investigaciones, tenemos del orden de sesenta mil pensamientos por día, y el 95 por ciento de ellos ¡son los mismos que tuvimos ayer! Por eso, y para superar los poderosos patrones de toda una vida, de verdad necesitamos usar nuestra razón para crear mejores pensamientos…, e idealmente, después de un tiempo, menos pensamientos. Ya que los pensamientos son nuestra energía e impulso creativo, si es que queremos crear nuevos patrones y una vida futura diferente y más plena conviene usar nuestro intelecto para pensar de maneras nuevas.

A medida que leas, puede servirte tener a tu lado una libreta

13

para anotar cualquier idea que te llame la atención, sea porque te parece positiva, curiosa, o incluso negativa y reactiva. Piensa en estas ideas durante el día. Haz que tu intelecto trabaje para ti, no contra ti. Sin embargo, asegúrate de trabajar desde una posición de empoderamiento. Si una idea disminuye tu autoestima, es importante que sepas que nada en este libro se ha escrito con esa intención. Todo está formulado como un apoyo para ver con claridad y avanzar más allá de patrones limitantes. Si un antiguo patrón te está saboteando, encuentra un espacio breve de tu día (diez minutos serán suficientes) y hazte un mapa mental en el que ubiques al centro una idea que te lleve a reflexionar. O, si así lo prefieres, puedes usar las preguntas de "Cómo me siento" que se entrega en la página 107. Tanto el mapa como las preguntas te servirán muchísimo. De partida, te desapegan de tu mente, lo cual es muy, muy útil.

Segundo, te ayuda a tomar distancia de los patrones o cúmulos neurológicos que se aglomeran alrededor de tus reacciones. Comenzarás a notar que éstos no son "reales" en sí, sino que se trata de patrones recurrentes a los que tu mente recurre por puro hábito.

Tercero, algunas veces podrás rastrear la génesis de ese patrón; hay veces en que tan sólo eso ayuda a disolverlo. Si, por el contrario, ignoras o suprimes o alejas una reacción, puedes estar perdiendo la oportunidad de deshacer algo que no te beneficia y que incluso te puede estar saboteando.

Espejos

Otra herramienta útil son los espejos. Mis sentimientos son mis sentimientos. Mis reacciones son mis reacciones; y las tuyas, tuyas. ¿Por qué será que una misma situación puede provocar reacciones diferentes en las personas? La situación en sí puede ser relativamente inocua, pero la reacción que gatilla puede ser muy reveladora.

Por eso, si a lo largo de este libro te encuentras respondiendo o reaccionando de una cierta manera, recuerda que eso se debe a tu historia, a tu responsabilidad, más que a mí o a las historias de las mujeres que aparecen en estas páginas. Con esto no quiero decir que yo no sea responsable. Me siento, de hecho, tan responsable que por eso he aplazado tanto el momento de escribir este libro. Sin embargo, va contra el *ethos* de este libro que lo culpes de tus sentimientos. La culpa es un estado que nos desempodera por completo. Adueñarnos de nuestros sentimientos, incluso si a veces éstos se hacen insoportables, demuestra poder. Sólo cuando nos hacemos cargo de ellos, en vez de reprimirlos o evitarlos, podemos aspirar a convertirnos en dueños de nuestro destino.

Lo que en el fondo indican la culpa, la evasión, la represión, es que yo no soy lo suficientemente fuerte para manejar lo que siento. Esto puede ser cierto ahora, pero también puedo reconocer que me encuentro en vías de revertirlo. A lo largo del recorrido espiritual vamos acumulando fuerza, energía y sabiduría para afrontar lo que sea que venga. A medida que uso esa energía acumulada, me doy cuenta de que tengo el poder para estar a cargo y, en consecuencia, obtengo más energía y fuerza.

Este libro puede ser un espejo, tal como el de los maravillosos reflejos que nos otorgan las relaciones. Recuerdo lo liberador que fue comprender esta noción por primera vez.

Cuando alguien me vuelve loca, ¿qué me está mostrando esa persona sobre mí misma que de lo contrario yo no vería?

Cuando alguien me inspira, ¿qué me está dando esa persona que de lo contrario yo no tendría?

Cuando algo me conmueve, me persigue, me enfurece, me confronta, ¿qué llego a ver de mi mundo interno que puede ayudarme a estar más a cargo de mi vida?

Liberación pura. Responsabilidad total. Empoderamiento.

Es poco probable que alguno de nosotros pueda cambiar a alguien; por lo tanto, aquello que gatille un cambio será siempre, si no ese individuo o esa situación, alguien o algo casi idéntico. Eso significa que estamos controlados por circunstancias externas, y que nuestras vidas no son nuestras. Comprender que las personas y las situaciones son como espejos que pueden ayudarnos es una clave poderosa para dominar este recorrido. La culpa inmoviliza. Asumir la responsabilidad de un modo honesto, bondadoso y no enjuiciador nos pone en movimiento.

Los espejos son regalos. Y lo interesante es que cuando hemos aceptado el regalo de un espejo, luego de abrirlo, acogerlo y emplearlo para aprender y transformarnos, la imagen que éste refleja desaparece. Desaparece ese "gatillo" en particular. La persona o la situación permanecen, pero notarás un milagro: ya no reaccionas como lo hacías antes y apenas notas el comportamiento que solía enfurecerte.

Estímulos

Junto a los estímulos y espejos, notarás que las ideas que más te llaman la atención en este libro irán apareciendo en tu ambiente. En lo que sea que enfoques tu atención, tu subconsciente y tu espíritu buscarán alrededor suyo otras ideas, situaciones, personas y oportunidades que coincidan con tu enfoque.

Por eso es conveniente elegir en conciencia una idea, concepto o práctica que pueda usarse para estimular la armonía en tu ambiente externo. Por ejemplo, tengo una amiga que está pasando por un proceso de profunda transformación en todos los planos de su vida. Es ese tipo de persona "todo o nada", pero muy abierta, honesta y comprometida con aprender más sobre ella misma y sus patrones inconscientes. Un día nos reunimos con Danni, otra amiga, a tomar un café, y en la conversación salió el tema del Eneagrama. El Eneagrama es un maravilloso y profundo modelo sufí para observarse a uno mismo y los propios patrones de autoboicoteo. De la nada, Danni le ofreció a mi amiga asistir a un curso de ocho semanas sobre este modelo. Se lo ofreció como un regalo, sin costo, sin saber que mi amiga justo estaba complicada en sus finanzas.

En otra ocasión, después de leer el último libro de mi amiga Stephanie Dowrick, *Choosing happiness*, me quedé pensando en el punto de cómo "el amor puede ser el contexto de la vida". No sólo estar enamorado de otra persona, sino el amor como forma de vida. Estimulada por este pensamiento, comencé a ver cuántas cosas, personas y situaciones yo no apreciaba, y cómo el apreciarlas me hacía amarlas, y qué fácil era apreciarlas si tan sólo me lo proponía.

Para Navidad, mi hermana me dio un libro que perdí en una de mis muchas mudanzas y que nunca leí, aunque lo que decía la portada cambió mi vida. No puedo recordar el título del libro –tenía en algún lado la palabra "bailar"– y tampoco a su autor, pero esa frase aclaró el modo en que hago este recorrido, y cómo me entiendo a mí misma y a los demás (¡así es que gracias, donde quiera que estés!). Y eran sólo unas pocas palabras:

¿Qué pasaría si la pregunta no fuese "por qué soy tan pocas veces quien quiero ser" sino "por qué tan pocas veces quiero ser la persona que soy"?

Al pensar en ello, estimulada por esta reflexión, me di cuenta de que quienes somos es más que suficiente si es que podemos serlo con más frecuencia. Esto se ha vuelto la base para mi comprensión del recorrido espiritual, como algo independiente del desarrollo personal. Al permitir que este estímulo absorbiera mi atención, emergió frente a mí todo un nuevo conjunto de personas y conversaciones que reafirmaron esa sabiduría inherente.

Por eso, piensa en usar las ideas de este libro como estímulos para tu propio proceso activo de aprendizaje y exploración.

Aperturas, asombros y preguntas curiosas

Si algo no te hace sentido, si no estás de acuerdo con una afirmación; si intuyes que un relato, una idea o un párrafo contienen un mensaje o revelación pensados para ti, por favor no dejes pasar ese sentimiento. Este libro es tu proyecto. Te invita a reconocer cuándo se abre una oportunidad para que te explores. Te ofrece evaluar tu resistencia y llevarte a un lugar más profundo de ti misma. Te propone que te permitas ser más curiosa sobre tu persona, sobre tus posibilidades y sobre la naturaleza de la vida y del recorrido espiritual (que es, en sí mismo, una exploración maravillosa).

Permite que la lectura de estas páginas te abra de un modo nuevo; a veces será exigente, pero siempre de un modo hermoso. De verdad, es ése su único propósito.

Propósito, objetivo y foco

Ahora que ya te has hecho una idea de lo que contiene este libro en términos de proceso, te sugiero que antes de empezar anotes qué te gustaría obtener al involucrarte con él. Como sabrás, en las miles de palabras de este libro cada lectora interpretará, se conectará y encontrará lo que le sea más relevante. Puedes hacerlo con piloto automático, revisando las páginas sobre la base de patrones pasados, inconscientes o no analizados; o puedes aprovecharlo para ponerte al día.

¿Dónde estás ahora?

¿Cuáles son las preguntas que hoy te haces sobre la vida?

¿Qué te resulta hoy importante, relevante, interesante, desafiante?

¿A cuál de tus búsquedas, anhelos o creaciones les vendría bien un poco de ayuda?

El propósito es algo diferente de la tradicional formulación de metas. El propósito te permite trabajar asociada a Dios, al universo, a la magia del recorrido espiritual. Te dice que establezcas un propósito específico y a la vez abierto. Permite que a tu mundo entre más de lo que tú podrías crear. Luego mantente alerta, pues surgirán señales y situaciones que sintonizarán totalmente con tu propósito.

Hace muchos años, yo quería comprar un nuevo automóvil… bueno, "nuevo" para mí. No sabía qué tipo de auto quería, pero un amigo me dijo: "Habla con Doug Barry-Martin, él te ayudará". Y ayudarme fue lo que hizo. Junto a una taza de té, y luego de una extensa lista de preguntas, Doug emitió un satisfecho "¡Ajá! Eso es". Me mantuve expectante. "Lo que quieres es un Peugeot 505", dijo. "¿En serio? ¡Grandioso!", respondí, y luego pensé: "¿Qué es un Peugeot 505?". Nunca había oído hablar de Peugeot, mucho menos de un Peugeot 505. Pero no había de qué preocuparse: el bueno de Doug no concluía aún con su papel de nuevo guía automotor, y me acompañó a una compraventas de Peugeot a sólo veinte minutos de mi casa.

Debo admitir que me emocionaba la posibilidad de tener un auto francés. Me parecía algo exótico, en verdad original y, aunque fuese de segunda mano, supuse que tendría su nosequé. Cuando llegamos al lugar, Doug me mostró dos ejemplares del modelo. Tenía razón: era el auto para mí. Casi de inmediato nos subimos al plateado con toldo e interior de cuero negro (como vegetariana que soy, ¡todavía me incomoda el hecho de haberme sentado durante tanto tiempo sobre una vaca muerta!). Doug lo revisó exhaustivamente y dio su aprobación, de modo que pagué un monto en adelanto. Pronto tendría mi propio, especial y original auto francés. Y, cuando conducíamos de regreso a casa, juro que al pasar vi al menos treinta Peugeot 505 como el mío. Por un momento, mi propio, especial y original ego se sintió devastado. ¿Cómo podía ser? Nunca había visto uno, ¡y ahora veía decenas!

En nuestro mundo flotan miles de millones de datos. No tenemos la capacidad de absorberlos ni procesarlos todos; ni siquiera el diez por ciento. Así es que, a menos que vayamos fijando de modo regular un nuevo objetivo y un nuevo foco, o aspiremos cada vez a algo más alto, no veremos mucho de lo que está a nuestro alcance. Por claras que sean nuestras intenciones, nos abrimos a todo un mundo que está ahí pero que aún no hemos visto. Nos convertimos en participantes activos de nuestras vidas, tejiendo nuestros días, capturando su magia.

Mi invitación es que te propongas involucrarte con este libro del mismo modo. Permítete explorarlo e interpretarlo de acuerdo al punto de tu recorrido en el que ahora te encuentras, aunque sin olvidar adónde esperas llegar, cuál es tu sueño para el futuro. Puede ser que en uno o dos años más redefinas, reclarifiques y reingreses al libro desde un espacio diferente. Y entonces obtendrás lecciones muy diferentes.

Esto te deja a cargo de tu recorrido.

Esto te convierte en quien tiene el poder de capturar, crear y cambiar.

PRIMERA PARTE

Introducción

Mi alarma espiritual se activó ·cuando a mi compañero le diagnosticaron cáncer terminal. Para entonces Michael y yo estábamos juntos hacía sólo cinco meses, y seguimos juntos sólo cinco meses más antes de su muerte. Pese a ello, ese corto período se expandió hasta abarcar toda una vida –o, quizás, muchas vidas– en experiencia. De un día para otro, el ritmo que ambos llevábamos en la industria del espectáculo se transformó radicalmente. Durante esos últimos cinco meses aprendimos a meditar, comimos saludablemente y nos levantamos a las cuatro de la mañana, en vez de acostarnos a esa hora. Llegamos a "ver" una vida que ninguno de los dos había visto antes. Llegamos a "sentir" un mundo que no sabíamos que existiese. Fue como descorrer un velo de nuestros sentidos y nacer a la vida, aun cuando Michael moría.

Fue un período extraordinario, durante el cual aprendí lo que de verdad significa el compromiso, qué es el amor y cuán importante es la compasión en un mundo despiadado. Por supuesto que hubo momentos difíciles, pero en general fue una bendición.

Diez días antes de la muerte de Michael me di cuenta de que no podía hacer nada para salvarlo, y me vine abajo. Fue como topar fondo: mi última rendición ante el hecho de que yo no podía controlar ni reparar las cosas.

Sentada en la habitación de meditación de una amiga, Judy, con un dolor físico en el pecho, llorando a mares, recuerdo haber dicho: "Está bien, Dios; no sé quién eres ni cómo te ganas la vida, pero esto es demasiado duro. ¡Tienes que ayudarme!". En ese momento nací a una sabiduría nueva. Todo se detuvo: el dolor, el llanto, el miedo. En mi entrega, fui acurrucada por el amor más exquisito que había experimentado alguna vez. En mi desprendimiento me vi envuelta en la paz más agradable y potente posible. Y entonces recibí una guía muy clara. Surgían pensamientos como si alguien le hablase a mi mente: "Tú no eres dueña de esta alma. Ustedes son como dos actores que se han unido para montar una escena. No tienen para qué conocer la siguiente escena, sólo tienen que actuar en ésta lo mejor posible. Y el modo de hacerlo es gozando cada momento".

Fue ésa mi primera "experiencia" de Dios. Cuando la comenté, algunos intentaron decirme que no se trataba de "Dios", sino de lo mejor de mí misma. Fue muy amable de su parte, pero sé que lo mejor de mí ya se había manifestado en los meses previos. Sabía cuál era la diferencia entre lo que surge desde el interior y lo que es un regalo externo de gracia.

Y el regalo transformó mi vida para siempre.

Cuando Michael partió, tuve el privilegio de estar en casa, tendida a su lado en nuestra cama. Sentí la gracia delicada que lo rodeaba a medida que concentraba luz en su cuerpo moribundo. Su último suspiro fue un momento que se expandió hasta contener eternidad, mientras él se quedaba quieto para amarme una vez más. Entonces, emergió desde mi corazón la palabra "vuela", y lo hizo.

Las semanas siguientes fueron a pesar de todo maravillosas. A mi vida había entrado la gracia para quedarse. En ocasiones me sentía muy triste por las posibilidades que nos habían sido arrancadas, y a mi mente acudía el pensamiento: "No es justo". No quise hacerle caso, lo descarté por inservible. Pero un día lo comenté y una de mis hermanas dijo: "¿No será que estás negándolo?".

"Ay, Dios", pensé, "¡estoy en negación!". Entonces, cuando el pensamiento volvió, decidí seguir su huella. En dos minutos estaba inexorable y emocionalmente sumida en una tragedia. Tardé horas en recuperarme, ¿y para qué? No era algo real, sino una experiencia construida a partir de una serie de pensamientos surgidos de un estado muy impotente. Y, además, ¿qué es "justo"? La vida lo es. Sucede y, si así lo quieres, puedes encontrar su magia. Además a mí no me faltaba poder.

Michael me había dado un regalo extraordinario, quizás aun mayor que si se hubiese quedado conmigo. Ambos nos sabíamos afortunados; incluso en esos últimos meses nos conectábamos tan profundamente a través de los ojos que nuestra suerte nos maravillaba. Éramos realmente afortunados. Su malestar físico nos proporcionó a ambos una ventana hacia la verdad, una puerta de entrada al espíritu. Al partir, me entregó un camino para mi propia verdad y empoderamiento.

Aún me siento afortunada. Mi vida actual es tan diferente de la que llevaba antes de conocer a Michael que la gente suele preguntarme cómo fue que terminé aquí; en apariencia, a un salto cuántico de donde estaba hace quince años. Creo que no es tan así. Ahora que comprendo las Cuatro Caras, todo me hace sentido: la espontaneidad, la esperanza, la pena, la fuerza, la lucha, la rendición, la libertad, el poder, el amor, la gracia. El trayecto del alma.

Entonces se trataba de un regalo de gracia que yo no tenía para qué entender de dónde había salido. Eso también me agradaba, porque me hacía sentir que, para recibir tan fantástico regalo de vida, quizás era en esencia una buena persona.

Hoy, tras dieciséis años de investigar a diario el proceso de encontrarse a uno mismo, siento que en muchos sentidos este trayecto recién comienza. Por eso comprendo esa máxima espiritual que dice que la paciencia es la madre de todas las virtudes. Vale la pena practicar la paciencia en aquellas pequeñas cosas sin importancia, porque les garantizo que este recorrido requiere de mucha paciencia y bondad, principalmente hacia uno mismo.

¿Por qué las mujeres?

Llevaba apenas dos años de mi recorrido espiritual cuando tuve una visión. Me indicaba que de algún modo debía trabajar con las mujeres. Durante un tiempo no comprendí la señal. De hecho, me resistí por completo a todas las señales, hasta que al final me lancé con los diálogos Mujeres de Espíritu. Esto sucedía en 1993 en Sydney, Australia, mi país natal, y fue en un galpón remodelado del suburbio de Glebe que comencé a aprender qué era lo que me había perdido. Reunida junto a mujeres, compartiendo nuestras historias espirituales de desafío y triunfo, conmoviéndonos e inspirándonos entre nosotras. Entonces me invitaron a ser parte de una delegación a la Cuarta Conferencia de las Naciones Unidas sobre la Mujer, en Beijing, en 1995. Al mismo tiempo se le solicitó a Brahma Kumaris-Australia organizar una continuación de esta conferencia que se llevaría a cabo al año siguiente en India. Fue entonces que aparecieron las Cuatro Caras, sólo dos años después de mi visión, y ante todo gracias a la imaginación de Helen Chapman.

En los últimos diez años he tenido la suerte de viajar a muchos lugares del mundo para dar a conocer las Cuatro Caras de la Mujer (o las Cuatro Caras de Caroline, en realidad). Este modelo ha resultado tan importante para tantas mujeres alrededor del mundo que pensé que ya era hora de sentarme e intentar esculpir esos rostros en palabras que le dieran forma a un libro. Por más de diez años he tenido la suerte de diseñar programas y procesos para dar a conocer las Cuatro Caras en diferentes contextos culturales. También ha sido un enorme privilegio que me invitaran a dirigir talleres y retiros en más de una docena de países, así como aprender lo que otras personas y otras visiones desarrollan. Sin embargo, parece que si espero a comprenderlo todo y llegar al final de mi trayecto nunca escribiré el libro. Las Caras van aclarándose con cada diseño, con cada taller, con cada conversación.

Al recorrer estas páginas, te invito a hacerlas tuyas; a esculpirlas y adueñarte de ellas. No creas todo lo que escribo; no es para nada algo absoluto. Las Caras se exponen bajo el filtro de mis propias limitaciones, y todo lo que hago es compartir mi entendimiento y esperanza contigo. Han nacido del silencio, han crecido con cuidado, han madurado a través de la experimentación y el amor, y ahora viven con la humildad de pertenecer a quien sea que las elija para encontrarse a sí misma a través de ellas.

Las Cuatro Caras no son de naturaleza ni forma religiosa; sin embargo, son como el recorrido del alma a escala espiritual. Por supuesto que nos ayudan a comprender la religión (atractiva para algunos, repulsiva para otros), pero creo que existen para que las comprenda cualquiera que quiera encontrar respuestas a las viejas preguntas de siempre: ¿quién soy? ¿Por qué estoy aquí? ¿De dónde vengo y adónde voy? ¿Y qué tiene que ver Dios en todo esto?

Si estas preguntas son parte de tu ser aún no resuelto, sin duda hallarás enormemente valioso el esquema de las Cuatro Caras.

Existen muchas mujeres alrededor del mundo que dictan este programa y difunden matices, experiencias e interpretaciones de las Caras de los que yo no estoy al tanto. Y, por supuesto, están las participantes: las miles de mujeres magníficas que han desafiado, cuestionado, corrido el riesgo y confiado cuando no estaban seguras; que han compartido y soñado, todas ayudando a revelar los secretos detrás de cada una de las Caras. De modo que ésta es sólo mi versión, derivada de mi limitada experiencia y mi memoria.

El recorrido a través de las Caras es a la vez suave y poderoso. Desarmarán la percepción que tienes de ti misma y de tu mundo, pero lo harán con gran respeto por tu sensibilidad y belleza inherentes. Guardan dentro de sí el descubrimiento de nuestro propio conocimiento, nuestra espiritualidad personal, nuestro camino individual, nuestro propósito único. Por favor, acéptalos con amor.

La visión

Antes de aquella de las mujeres había tenido otra visión. Después de la muerte de Michael, supe que las cosas estaban cambiando y que mi vida ya no era más "mía" *per se*, sino que le pertenecía a una misión más grande que mis propios deseos y temores. Dos semanas después del funeral, ya me atormentaba con pensamientos y sentimientos sobre lo que vendría. Mi padre me rogó no tomar decisiones importantes durante doce meses, que luego ajustó a tres cuando se dio cuenta de que no existía la más remota esperanza de que yo esperara un año entero para actuar de acuerdo al cambio que estaba sacudiendo mi mundo.

Una noche, después del trabajo, fui a mi escritorio y tomé del estante un libro de meditaciones. Marco Aurelio. Lo abrí al azar, y ahí tuve la respuesta a mi pregunta sobre lo que vendría: "Para todo, pídele ayuda a los dioses. Tres horas de meditación son suficientes".

Admito haberme sentido sobrepasada. Nunca en mi vida había desarrollado un verdadero poder de concentración, y sentarme a meditar por quince minutos ya me parecía una eternidad. Pero yo había hecho una pregunta y ahí tenía mi respuesta.

Así es que cuando llegó el domingo le dediqué tres horas. La última la pasé resguardada en un parque que hay a unos minutos a pie desde mi casa. Era un día magnífico, el sol brillaba, el cielo estaba azul, corría una ligera brisa y las familias disfrutaban del clima de Sydney. Me senté en la punta del muelle y esperé. Después de un rato llegó la revelación: África. Tuve una visión de África. Vastos pastizales, jirafas, búfalos y elefantes.

"¡África!", brotó la palabra, sin que yo pudiese contenerla. "¿África? ¿Quieres que yo vaya a África?".

El día siguiente me dirigí a una agencia de viajes y conseguí un montón de folletos. No sabía qué era lo que iría a hacer a África ni cuál era el sentido de mi partida, pero la imagen era tan clara y profunda –además de ser la última cosa que hubiese imaginado para mí– que confié en ella por completo. Tomé folletos de cada tipo de tour posible. No me apetecía ir sola. De hecho, justo después de que pronuncié "África" le dije a Dios –esta vez, mentalmente–: "Está bien. Pero sabes que le tengo un poco de miedo a los viajes, así que ¡tienes que cuidarme!".

Me inscribí para un viaje en un camión que salía de Harare, en Zimbabue, y seguía a través de Zambia, Malaui, Botsuana y Tanzania, hasta terminar en Nairobi, la capital de Kenia. Ese viaje fue una señal tan fuerte en mi vida que desde entonces he confiado por completo en estas intuiciones que me llegan como imágenes e inspiraciones.

Así es que cuando en 1993 tuve una visión sobre mujeres, me la tomé en serio. Pero no sabía qué hacer. Nunca había tenido que ver con cosas de mujeres, más allá de ser una, y, la verdad, ni siquiera me consideraba una mujer: "ellas" eran más viejas y maduras que yo. Había tenido pocas amigas. Tenía tres hermanas, ¡pero eran niñas, no mujeres! Por eso, aunque confié en la visión, no hice nada con ella; o sea, no actué en consecuencia.

Y entonces volvió. Otra vez. Y otra. Me persiguió sin descanso, hasta que al final dije sí: "¡Está bien! ¡Haré algo!". Qué haría, no tenía idea, pero no estaba dispuesta a tener esa visión en *cinemascope* confrontándome a cada momento.

Entonces me ayudó una mujer llamada Silvana. Nos encerramos durante días en mi casa, escribiendo, reescribiendo, meditando, ofreciendo nuestras humildes y algunas veces inútiles ideas a una inspiración más elevada, más divina. Trabajando y esperando y anhelando que algo sucediera. Así nació Mujeres de Espíritu. Tuvimos un breve aunque elegante encuentro con mujeres líderes. Luego convocamos a reuniones mensuales de Mujeres de Espíritu en el centro Brahma Kumaris de la ciudad. Cada mes, y sin más promoción que un volante, entre cuarenta y cien mujeres llegaban a escuchar historias inspiradoras. Invité a mujeres encaminadas en su trayecto espiritual, mujeres de diferentes tradiciones, caminos y religiones. Mujeres que se habían caído y recuperado. Mujeres que compartieron de inmediato el proceso de su mundo interior. Luego teníamos un rato de meditación, para terminar con té y pasteles. Eran encuentros profundamente enriquecedores.

Luego me mudé a otro estado, y las reuniones cesaron. Fue entonces que comenzó lo de las Cuatro Caras de la Mujer. Sin embargo, los Diálogos con Mujeres de Espíritu resurgieron hace unos años, y a contar de 1995 fueron organizándose reuniones similares en muchos países, hasta hoy.

Si bien había confiado en la visión, no me dediqué por completo a ella. En paralelo, dirigí por nueve años una consultora financiera. Aunque gran parte de mi trabajo en el mundo corporativo estaba vinculado a la transformación organizacional, mis clientes terminaron siendo casi todas mujeres.

Y aquí estoy ahora, en el año 2006, en Sudamérica, y la visión continúa dándole forma a mi vida. Se me ha pedido que escriba un libro y lance un hermoso proyecto, denominado Liderazgo y Amor, en un país que ha elegido a una mujer como Presidenta: Chile.

Y todo comenzó hace trece años con esta visión: mujeres que aparecían de todos lados, vestidas con ropa blanca, diversa pero sencilla, moviéndose independientemente hacia un destino invisible. Avanzaban en completo silencio, altivas, conscientes de su poder. Desde donde yo observaba, notaba las cualidades de amor y humildad esculpidas con hondura en sus siluetas poderosas.

De pronto hubo una señal invisible y silenciosa que hizo que las mujeres dieran un giro y formaran una ancha hilera hasta más allá de donde alcanzaba la vista. Ahora avanzaban como un solo cuerpo, en línea recta, una al lado de la otra. Continuaban en silencio e independientes, pero con sus espíritus conectados por completo. A medida que avanzaban sentí que el mundo entero –niños, adultos, animales y la Naturaleza en pleno– exhalaba un profundo y agradecido suspiro de alivio.

Entonces el escenario cambió, y fue reemplazado por la visión de un hombre. Éste representaba el arquetipo del líder político o económico del momento: pelo entrecano, ondulado, anteojos sin montura, traje a rayas, gotas de sudor sobre su frente y entrecejo. Estaba notoriamente estresado y sobrecargado. Sostenía un globo terráqueo y sus esfuerzos heroicos apenas le alcanzaban para sujetarlo. Justo cuando parecía que ya no podría aguantar más, miró hacia arriba y vio a las mujeres, moviéndose con infinita gracia. La humildad, el amor y el poder que emanaban de ellas le hizo darse cuenta de que no representaban una amenaza, así que no tuvo miedo. Escuché lo que pensaba: "Gracias, Dios. Ya no tengo que pretender que sé lo que hay que hacer".

Aquí concluyó la visión. Pero, como ya dije, no me dejó tranquila. Me invitaba a hacer algo, a ser alguien. Ser yo misma, sospecho; y, durante el proceso, ser también una de muchas mujeres que estamos volviéndonos nosotras mismas de verdad. Líderes auténticas, bellas, poderosas, amorosas, tolerantes, compasivas, generosas, delicadas, fuertes. Para nosotros y para el mundo.

Antes de avanzar hacia un futuro mejor y más empoderado, es importante que primero miremos el lugar de donde venimos y aquel donde ahora nos encontramos. No es posible empoderarse sin entender primero por qué no tenemos ya ese poder que vagamente recordamos haber tenido, y dónde y cómo fue que lo perdimos. Es recomendable partir por reconocer los patrones e identidades inconscientes e impotentes a los que recurrimos cuando perdemos ese poder. También es bueno conocer qué es lo que guía nuestro comportamiento, modela nuestros valores, determina nuestras funciones, asigna nuestras responsabilidades y crea los resultados que vemos en nuestras vidas. Si logramos comprender que todos hacemos lo mejor posible a partir de los limitados recursos espirituales con los que contamos, seremos capaces de avanzar con una mirada mucho más bondadosa, más alentadora y solidaria, menos crítica de los esfuerzos nuestros y los de los demás.

Anhelamos un mundo mejor para nosotros, nuestros hijos y los hijos de nuestros hijos, entonces está claro que debemos pensar en comenzar de nuevo eligiendo nuestro propio camino de acuerdo a lo que inherentemente sabemos que es correcto. Esta elección requiere una mirada introspectiva, evaluarnos con honestidad y estar dispuestas a aprender un método para crear el futuro que queremos.

Este libro y los retiros y talleres disponibles se han diseñado en específico para apoyar a las mujeres en un avance que les resulte positivo y transformador a ellas, sus familias y su entorno. El marco teórico para este recorrido implica comprender el modelo de las Cuatro Caras de la Mujer. Es un viaje por los lugares donde comenzamos, donde hemos estado, donde nos encontramos y adonde vamos.

Las Cuatro Caras nos permiten vernos a nosotras mismas con más claridad, y evaluar cómo nuestros pensamientos y actitudes pueden al mismo tiempo limitarnos o liberarnos. Nos brindan un espejo para ver aquello que socava nuestra felicidad, a la vez que reflejan nuestra belleza y fortaleza inherentes, trasmitiéndonos el coraje para creer que somos importantes y que tenemos algo de gran valor con que contribuir a la humanidad.

Si estamos atentas, quizás entonces podamos cambiar, disolver, destruir, soltar y detener actitudes y comportamientos que nunca habíamos cuestionado. De hecho, si despertásemos a nuestro propio poder transformador, ¿elegiríamos perpetuar tradiciones centenarias que de pronto entenderíamos como inherentemente injustas? ¿Usaríamos otros poderes, más sutiles, para convertir lo incorrecto en correcto en vez de ejercer violencia contra violencia? ¿Aprenderíamos cómo permitirnos ser tan poderosas como la mitología nos dice que es la energía de lo femenino? ¿Lo haríamos?

¿Es posible hacerlo? No sólo es posible: nuestra supervivencia como especie depende de ello.

No hay escapatoria. A lo largo de los siglos, innumerables relatos, mitos y profecías nos han recordado que, en los momentos oscuros, es el poder de lo femenino en combinación con lo divino lo que brinda una renovación.

Y ese momento es ahora.

El contexto

Cuando por primera vez oí que el tiempo era cíclico, me pareció interesante pero no digamos que me fasciné. Hoy, en cambio, esa idea sostiene el modo en que pienso, el trabajo que realizo y la manera como comprendo la naturaleza de la vida, el amor y la transformación.

¿Qué tiene que ver esto con las Cuatro Caras? Es recomendable contar con un marco teórico que nos permita reconocer la época en la que nos encontramos. El encuentro de lo antiguo y lo nuevo. Una época de renovación, de transformación. En casi cada taller, encuentro o reunión que tengo la oportunidad de dirigir, pregunto: "¿Quién no está pasando ahora por algún cambio en su vida?". Lo que sigue suele ser un espontáneo murmullo de risas ahogadas y ninguna mano alzada.

Nos encontramos en una época de cambio innegable. Si elegimos correctamente y aprendemos el modo de aumentar nuestra energía o poder, el cambio puede convertirse en transformación. ¿Cuál es la diferencia? Hay veces en que, por profundos y hasta dolorosos que nos parezcan, realizamos cambios superficiales. Cuando, más tarde, el mismo patrón vuelve a aparecer, resulta descorazonador darse cuenta de que en realidad no cambiamos más que zapatos por botas, porque aún no estamos en paz ni somos libres, poderosas ni felices.

Hay, sin embargo, una buena noticia: existe la posibilidad de una transformación, de trascender viejos patrones de pensamiento o conciencia. También resulta iluminador saber que ésta es una época muy particular; no sólo porque algo así es posible, sino porque está en nuestro destino. El punto es encontrar los métodos adecuados. Estas páginas contienen algunos de esos métodos, algunos modos de percibir, de escuchar o de ser. Descubrir el resto es mi tarea pendiente. Algunos métodos son universales y otros, propios de mi recorrido, y puede que no te resuenen en absoluto. Confía en ti misma. Inténtalo. Experimenta. Observa.

Si hay algo universal que puedo garantizar, es que es cierto que en esta época contamos con la presencia de lo Divino dispuesta a guiarnos. Ya pasó el tiempo de seguir a otros seres humanos. Por muy bondadosos o grandiosos que puedan ser, siguen siendo seres limitados. Y la inmutable ley de la reciprocidad, del karma, de la causa y el efecto, establece que "todo lo que tomo de una fuente que está dentro del sistema, debo devolverlo al sistema". La fuente de todo lo que existe fuera de nuestro sistema humano –lo supremo, lo divino, Dios– está disponible del mismo modo para todos y cada uno de nosotros. A este refuerzo puro tenemos acceso directo, sin importar nuestra cultura, género, religión ni tradición. Basta con recordar cómo, basta con encontrar la puerta a nuestra propia divinidad, la cual abre la ventana a la eterna Fuente Divina. Ésta es una llave que es importante que usemos durante el período del "gran cambio", esto es, en el camino de regreso a nuestra plenitud, verdad y perfección individual y colectiva.

Desde una perspectiva filosófica, el tiempo se divide en cuatro épocas: oro, plata, cobre y hierro. Es la historia, individual o colectiva, del poder y de la energía.

En la época de oro, cada ser humano es pleno, y experimenta su valía sin compararse ni competir con otros, sin dudas ni temores. Cada uno tiene la capacidad de crear como si fuese un estado natural. Pensamiento hecho realidad. Claridad, pureza, prosperidad.

A medida que nos conectamos cada vez más con el mundo material, la época de plata indica un leve declive de energía.

El cobre indica que la conciencia ha girado y que se ha perdido la preciosa naturaleza de la autodeterminación, que ha ocurrido una transferencia desde los referentes internos a los externos. Aquí surge la comparación y comenzamos a perder espontaneidad; entran en el campo de la conciencia el cuidado y la preocupación, los miedos y las dudas. El flujo se detiene. El fracaso emerge como concepto, como temor y como realidad. Las almas se olvidan de que son ellas las que mandan y que cuentan con la capacidad de manifestarse a través del pensamiento. El pensamiento se desperdicia mirando hacia afuera: a los demás, al futuro, al pasado. La energía se agota. Los seres humanos comienzan a perder su corazón, y a pelear por lo que estiman son recursos limitados. Surgen tiranos. Nacen víctimas. Se hacen necesarios los héroes. Es la época de la oscuridad, la época del hierro. Un mundo sobrepoblado que cree en la escasez.

Siempre he pensado que es una broma cruel del Cosmos: cuando nos encontramos en nuestro flujo espiritual más bajo, con nuestra fuente natural de renovación energética disminuida, es cuando debemos encontrar el camino de regreso a nuestra plenitud. Sin el acceso a un conocimiento compartido y un suministro infinito de energía, sería algo demasiado cruel de soportar. Por fortuna, no es así.

En la comprensión espiritual existe una quinta época: la de la confluencia. La confluencia es el encuentro de dos o más elementos y, en este caso, el encuentro entre las épocas de hierro y de oro. A la confluencia a veces se le llama "edad de diamante", pues se la puede ver como la época más preciosa: la de estar despiertos, tener todo el recorrido vivo en un punto de la conciencia. Es el momento de estar conscientemente alineados con la Fuente, con Dios, y de sentir cómo en nuestros corazones y mentes el poder y la pureza de ese amor divino transforman la alquimia del hierro en oro. Es el tiempo de estar atentos al hecho de que de verdad somos diamantes, y que todo lo que necesitamos es acercarnos a esa especie de láser que es la luz de la Divinidad para que nos pula.

Una vez, en Sudáfrica, fui al punto más austral de ese país, allí donde se encuentran los océanos Índico y Atlántico. Dos vastas masas de agua que en realidad es sólo una, separada por las líneas de un mapa y por corrientes submarinas. Allí, en la península, vi la línea que las separaba. Desde donde yo estaba no podía ver el caos subyacente; de hecho, sería sencillo creer que se trata de un ensamble pacífico. Sin embargo, de pie en la convergencia de dos o más ríos, puede observarse con facilidad el clamor, el tumulto, el furioso torrente que lucha por un espacio en la nueva corriente de agua que se forma.

La confluencia espiritual tiene algo de ambos elementos. El tumulto puede suceder y, de hecho, sucede; así se fluye de vuelta al océano de nuestra plenitud, a reunir lo que en nosotros hay de partido y fracturado. Sin embargo, cuando dejamos que la luz pura y armónica de Dios infunda el recorrido, permitimos que se entrelacen las polarizadas aguas de la historia de nuestra alma, sin prolongar la intensidad de su fuerza.

Tres energías de transformación

A medida que viajes a través de la confluencia, y si te mantienes bien atenta al proceso, te darás cuenta de las tres poderosas energías que conducen la transformación: Creación, Sustento y Destrucción.

Estas energías se deslizan a través del tiempo, por entre nuestros mundos interno y externo, y se reformulan de acuerdo a nuestros más profundos deseos. Si nos mantenemos atentos, atravesaremos la división entre hierro y oro con elegancia y dignidad.

Cuando uno se fija un objetivo y lo sostiene a través de una visualización creativa, de meditación, de actividad en armonía y de otros métodos, de inmediato libera y permite que un montón de energía se mueva para manifestar ese propósito.

Supongamos que has puesto en práctica las dos primeras fases de la transformación. Tan sólo abrigar el deseo profundo de querer más de la vida, de que debe haber algo mejor que esto; de que la vida está hecha para ser más mágica, viva, llena de amor, satisfactoria; sostener tales pensamientos a lo largo del tiempo invocarán el cambio.

Sin embargo, si no dejas participar del juego al flujo natural de la tercera etapa, no podrás avanzar a la fase de transformación. Te quedarás estancada en la lucha entre lo viejo y lo nuevo; en el hierro, y no en el oro ni el diamante. Recuerda que el diamante es la fase de la transformación, allí donde se involucran las tres energías. Llegará el momento en que aquello que ya está viejo, y no tiene que ver con el nuevo "yo", morirá: el ego, los patrones internos de pensamiento, las estructuras externas, las relaciones. Entonces estarás lista para tomar decisiones. Los ocho poderes que voy a presentarte en este libro son herramientas fantásticas y pueden cultivarse a lo largo del trayecto de cada una como preparación para la parte final del proceso. Eso sí, es fundamental comprometerse con esta "muerte", este despojo de aquello que no le sirve al nuevo yo, ni le servirá más.

Tiempo

Al emprender el camino espiritual que promueve este libro también es recomendable tomar conciencia de tres aspectos del tiempo: usar el pasado para comprender patrones y criterios, predecir el futuro y estar presente en el ahora. A veces me imagino que esto es como caminar sobre un puente colgante que cruza un abismo. Una vez hice un ejercicio de desarrollo al aire libre usando diversos materiales (cuerdas, cadenas, tablas, llantas, escaleras y así) suspendidos entre árboles y postes. Yo sabía bien qué funcionaba y qué no para llegar al fin del curso. Se trataba de un asunto de conciencia. Pensamiento. Foco. Orientación temporal.

Físicamente, no soy para nada una persona delgada. Tengo lo que en estos días tiendo a llamar una "figura llena", y escalar diez metros y balancearme sobre una cuerda parecería un tanto imposible o, al menos, peligroso. Pero noté que si dejaba que mis pensamientos se fueran a cualquier lado, en vez de concentrarme en el presente y enfocarme en mi objetivo, perdería el equilibrio. Incluso recuerdo haber trabajado pensando que era una bailarina, evocando la estabilidad de esa forma artística. Y funcionó.

También me di cuenta de que si me preocupaba, me distraía, me ponía a recordar algo, miraba hacia los lados o hacia abajo, o me preocupaba de que otros pudieran mirarme, estaba perdida. El simple hecho de tener un objetivo y dirigir conscientemente mi atención de un modo que me sostuviera me permitió concluir el curso sin un percance. Todo depende de la conciencia y de estar atenta a uno misma.

El juego consiste, entonces, en aclarar nuestro destino, el cual en cierto modo es el mismo para todos: liberación y amor, y poder, y verdad, y felicidad, y el regreso a nuestro ser auténtico. Cómo eso se desenvuelva, cómo nos encaminemos a ello, cómo lleguemos ahí, ésas son historias particulares. Aprende a vivir en el presente. Practica el no pensar demasiado. Pensar malgasta energía y, por lo general, pensamos sobre el pasado, lo cual significa que lo estamos resucitando en el presente y creando un futuro basado en él. Como si fuera poco, el pasado al que tendemos es aquel que lamentamos o resentimos.

En un sentido cíclico, resulta un buen respaldo concebir el tiempo como si fuese un viaje que uno ya ha hecho una o dos veces antes; pero hace tanto tiempo, y desde el cual han pasado tantas cosas que en realidad uno no recuerda bien la ruta ni los desvíos. Así, existirá una familiaridad sobre el trayecto, y mientras más uno se relaje, sintonice, medite y conecte con la esencia interna y eterna, más se ganará en claridad y confianza para pisar sobre el futuro que está por venir.

Predecir el futuro tiene que ver con recordar, sintonizar con quienes somos y cuál es nuestro destino. Y aunque el destino está destinado, valga la redundancia, sabemos que lo que sea que ansiemos y deseemos profundamente ya lo hemos tenido, ya lo hemos sido. Si no lo supiéramos, no podríamos anhelarlo; sería apenas una noción agradable.

Pero si puedes casi saborear la sensación, oler la experiencia, escuchar la canción de tu propia alma, entonces ten por seguro que el regreso está destinado, garantizado; tan sólo se trata de practicarlo a cada momento, eligiendo en conciencia el camino por el que seguir como si estuviese todo por trazar. Aquí radica la importancia de la meditación. El alma conoce el camino; son la mente y el intelecto los que lo discuten. La meditación permite estar al tanto del propio conocimiento, más allá de una mente condicionada o un intelecto controlador. Permite que cada uno se sienta firme y motivado para avanzar con esperanza y confianza.

Las Cuatro Caras de la mujer

Comenzamos en la Cara Eterna y hacia ella nos dirigimos. Carga la verdad de nuestra inocencia innata y nuestro poder auténtico. Mantiene a salvo nuestra capacidad de asombro y nos regala nuestra belleza inherente, nuestros dones particulares y un sentido profundo de saber infinito. Es nuestro ser esencial. Esencia.

La Cara Tradicional intenta contener la esencia, protegerla. Para obtener seguridad, establece normas y límites. Sus buenas intenciones se convierten en afán de control y, al poco tiempo, nuestro mundo está lleno de "no". En su intento por mantener el orden, la seguridad, la armonía, reduce nuestro mundo y limita nuestra capacidad de experimentar el asombro y el gozo de ser. En nuestro interior se instala el "no".

Quien siente el dolor y la represión de la Cara Tradicional puede adoptar la Cara Moderna para combatir esos límites, huir de ellos, buscar libertad. Creyendo que los límites se encuentran afuera, y sin reconocer que algo resistente vive dentro, este rostro gasta una enorme energía en escapar, pero no lo logra. Y aunque la Cara Moderna surge del coraje y el compromiso, es incapaz de liberarse y crear un modo nuevo, porque es el rostro de la reacción, y la esencia de su energía inconformista nace de la semilla de la tradición. Y de la semilla sale la fruta. Y de la fruta sale la semilla.

Es la Cara Shakti la que acoge aquella clave secreta que abre la puerta de la autenticidad, la belleza y el poder: la libertad. Es este rostro el que nota las limitaciones de la tradición, y que tiene la capacidad de asumir una responsabilidad y exigir poder. No reacciona ni culpa. Es capaz de tomar distancia y ver que todos estamos atrapados en las redes de la reacción, y que seguir apuntando culpas es algo que no tiene fin. Shakti viene a "mirar" a la mujer y el sistema en el que funciona con sabiduría y sin afán de juicio. Sus acciones, llenas de sentido, envían silenciosas ondas de energía pura para resucitar su esencia y transformar los sistemas antiguos y dañados.

La Cara Eterna
Yo soy
El ser original

*Cuando la persona recién empieza a vivir, por primera vez
en uso de su cuerpo y de su mente, descubriendo las relaciones y
la naturaleza, su mirada es tan nueva y pura que vive bajo una
sensación de asombro natural. Puedo entrar en contacto con esa
parte de mí. Puedo despertar ese recuerdo a voluntad.
En mi vida actual, tan ocupada, aún puedo contar con el
poder que emerge de recordar la inocencia, la pureza y la belleza
que hay en la novedad.
Descubrir esto, gracias a la bella mente de Caroline, y
haberme adueñado de a poco de la fantástica herramienta de las
Cuatro Caras, ha sido algo mágico, pues sucedió en el contexto
de un momento de encuentro de muchas mujeres de más o menos
cuarenta nacionalidades.*

Valeriane Bernard

La Cara Eterna es el comienzo y el final de nuestro camino. Es el
estado del "yo soy", sin preguntas, dudas, confusión ni dualidad; sin
extrañeza, sólo "ser", respeto por uno mismo, seguridad, ninguna
necesidad de probarle algo a alguien, ciento por ciento pura "energía
del yo", sin mezclar con alguien o algo más. Sin sombras, sin grises,
sin incertidumbres, en completa claridad y equilibrio.

Pero de seguro esta Cara aparece sólo en algunos momentos,
¿no es así? Hay chispazos suyos que pueden durar segundos, o quizás
días si no estamos muy ocupados ni involucrados en actividades
y exigencias y responsabilidades. Eso depende. Depende de si
podemos recordar la pureza de la certeza. La claridad de la quietud.
Y si podemos –y el alma definitivamente sí que puede–, entonces
pasaremos toda la vida ejercitando el arte de reconectarnos con
nuestra propia verdad.

La buena noticia es que la Cara Eterna está siempre con nosotros; es inmortal y por eso nunca podrá ser destruida, si bien su presencia puede atenuarse. Porque es verdad, y la verdad es indestructible, quiénes somos también es algo indestructible. Eterno. Aunque lo evitemos, lo adormezcamos, le digamos que no nos interesa, no confiemos en su belleza ni en su poder. Dejamos de creer en la maravilla de este ser sagrado y comenzamos a creer en fórmulas ajenas. Pero cuando volvemos a nuestra fuente innata, nos encontramos con un auténtico tesoro de joyas preciosas y herramientas para vivir.

La Cara Eterna contiene los secretos de la manifestación: manifestación pura y simple, bosquejada con claridad y precisión en los contornos de su ser invisible. Nuestra naturaleza original es la de ser seres creativos. Antes de que empezáramos a dudar de nosotros mismos y escuchar a otros, era éste el arte original de vivir. Así eran las cosas, y por eso en algún lugar de nuestro subconsciente creemos que tenemos que ser capaces de lograr mucho, mucho más, y ser mucho, mucho más plenos de lo que somos. Sólo porque existe como un fuerte recuerdo, una maqueta, un ADN espiritual al interior del alma, sabemos que el modo de ser de las cosas es un orden fluido y puro. Ese potencial creativo debe manifestarse. Somos seres gozosos, y la vida fue y ha de ser concebida para que de algún modo sea más mágica que mundana.

Está bien, ¿pero cómo? Es cierto, no tiene sentido reavivar el recuerdo y la esperanza de que debemos ser capaces de vivir así, ser así y hacer las cosas así si no podemos recuperar el método, el modo, el Tao de todo ello. Sería cruel. Y deprimente. Pero sí, existe un cómo, o bien muchos cómo: conceptos clave de vida, prácticas simples que necesitan ser acompañadas de una actitud experimental; un compromiso delicado pero firme para reaprender, recordar y reestablecer el camino, siempre con paciencia, porque el camino toma toda una vida.

Así es que siéntate y relájate. Este libro está diseñado para ofrecerte conocimientos prácticos y métodos simples para que te reconectes con la condición sagrada natural de tu Cara Eterna.

Establece un objetivo

Si aún no has fijado tu objetivo, tal como se recomendó en "Cómo usar este libro", ¿me permites sugerirte que lo hagas antes de seguir leyendo? Te garantizo que será de un beneficio enorme.

Descubre la joya escondida

La Cara Eterna tiene que ver con estar atento, con un modo de mirar y de ser. Si observamos aquellas pequeñas almas recién llegadas al mundo, veremos que hay en ellas una inocencia increíble, y poseen un poder escandaloso para influenciar incluso al adulto más malhumorado. Cuando hablo de bebés, no me refiero a esos que parecen tener 350 años —ya saben, esos que uno percibe que ya han estado antes por aquí–, sino a los nuevos, impecables, a los frescos que llegan aquí por primera vez. Y también a los párvulos. Cuando llegan a esa edad en que de verdad se conectan contigo, tienen el poder de transformar. En aeropuertos, centros comerciales y salas de cine he observado el modo como los adultos pueden modificar su conducta ante la inocencia de los niños. Su curiosidad natural, su poder de Verdad, su apertura y su naturaleza directa son pura delicia para nosotros, viejas almas que hemos cedido a la convención y que tenemos cortadas las alas del espíritu.

He visto a los ejecutivos más rígidos y tensos incapaces de mantener su frialdad cuando un precioso, inofensivo y cariñoso niño pequeño les jala la pierna por sorpresa. No pueden evitarlo. Por más que traten de mantener su estoico desapego, de a poco se va bosquejando una sonrisa en su rostro. Ocurre lo mismo con los animales recién nacidos. ¡Son tan tiernos! ¿Y por qué? Porque no tienen ninguna conciencia de sí mismos, y aún no han aprendido ningún mecanismo de protección que inhiba su naturalidad.

Un día soleado en Melbourne, donde vivía entonces, tomé un tranvía a la ciudad. Vivía a tan sólo diez minutos, era más fácil que conducir y el tranvía está lleno de la maravilla de la humanidad.

Había un grupo de pequeños escolares causando bastantes molestias. Gritaban, corrían de aquí para allá, incomodando a los pasajeros. Un par de personas se había atrevido a pedirles que se comportaran, sin resultado. Y entonces sucedió algo maravilloso. Una mujer mayor, de unos setenta años, subió al tranvía con un pequeño cachorro.

Era el típico perrito peludo, suave, blanco y demasiado tierno, incluso para quienes no se interesan en los animales. En diez segundos, los chicos habían detenido su juego frenético y estaban ante el cachorro exclamando "¡ooooh!" y "¡aaaaaaah!". Su inocencia era tan poderosa que atrajo su propia inocencia. Unos paraderos más allá los chicos ayudaron a la mujer a bajarse, y luego se quedaron tranquilos hasta que llegó su turno de descender, lo cual hicieron con una suerte de natural respeto por el resto de nosotros. Luego, los pasajeros que quedaban nos miramos asombrados, impactados ante la escena de completa transformación que acabábamos de presenciar.

La inocencia es así de poderosa, porque nos refleja el estado original de nuestro propio ser. Nos enfrenta cara a cara con nuestra natural condición sagrada, con el espíritu sin adornos, el ser auténtico, y nos recuerda e incluso nos reconecta (consciente o inconscientemente) con el sentir de nuestra propia esencia, con nuestra verdad. Es una presencia, un estar en el *ahora* que nos despierta hacia algo profundo en nuestro interior. Cuando podemos estar por completo presentes en el *ahora* –sin pensar ni preocuparnos por el futuro; sin remordimientos, reminiscencias ni lamentos sobre el pasado–, entonces podemos comenzar a sintonizar la frecuencia de la energía de la Cara Eterna.

Platón dijo que quien sea capaz de encontrar el camino al filo del *ahora*, atisbará la eternidad. Dado que mi cuerpo no durará más de cien años, entonces la eternidad debe ser algo inmaterial, que no se vislumbra con los ojos físicos. Aquí es donde entra el término "tercer ojo" o visión divina. Mientras más nos conectamos con las sutilezas del alma o del ser, más comenzamos a prestarle atención y ver el delicado mundo del pensamiento y la energía. Una vez que lo logramos, nos restan unos pocos pensamientos para experimentar aquello que anhelamos: experiencias como el amor, la paz, la dicha, el poder, la verdad, la satisfacción, el gozo.

No es que no lo hayamos intentado...

Por supuesto que lo hemos intentado. A cada momento de cada día, en cada acto que emprendemos, buscamos el camino de regreso a nuestra Cara Eterna, nuestra esencia. Las canciones que amamos, las películas que nos gustan, las historias que se quedan con nosotros, las puestas de sol que disfrutamos, los bosques que nos calman, las personas que nos hacen reír, nos consuelan o nos hacen sentir especiales; las iglesias, los templos, mezquitas y otros lugares de culto que visitamos; el maquillaje que usamos, los nuevos zapatos que nos compramos, las comidas que preparamos: todos son intentos sinceros pero por lo general mediocres por recuperar la ternura de nuestro estado original.

Parecería que no es así. Pero si tuviéramos que examinar en profundidad cada acción que emprendemos en nuestra vida, seguro encontraríamos que el objetivo es experimentar ya sea una o más de estas cualidades originales.

Cuando en 1998 estuve en Kenia para hablar de las Cuatro Caras, trabajamos en encontrar aquellas motivaciones profundas tras nuestros actos. Les pedí a todas las presentes escoger tres acciones mundanas, de aquellas que suelen realizar a diario, para comenzar a excavar. Trabajando en parejas, debían buscar qué hay bajo esas obligaciones superficiales. Los resultados fueron extraordinarios; aunque, en el fondo, bastante lógicos.

Las mujeres quedaron perplejas ante lo que reconocieron como sus móviles subyacentes. Recuerdo que una, Rose, se dio cuenta de que iba a comprar los víveres para encontrar paz. Por supuesto, todas rieron al escucharla (¡porque ella odiaba ir de compras!), pero al retroceder vimos que era ésa exactamente su motivación.

- ¿Por qué voy de compras?
- Para llenar la despensa.
- Cuando tengo la despensa llena, ¿qué pasa?
- Todos en la casa están felices.
- Cuando todos están felices, ¿qué pasa conmigo?
- Me siento aliviada.
- Cuando estoy aliviada, ¿qué es lo que siento?
- Paz.

Podría argumentarse, seguramente con razón, que no es éste el modo ideal de conseguir paz, pero ése no es el punto. Este ejercicio está diseñado tan sólo para ayudarnos a identificar qué es lo que subyace a nuestras acciones, sin importar lo mundana o grandiosa que sea. Otros descubrimientos a lo largo de este ejercicio han sido:

- Conduzco para encontrar paz.
- Como para experimentar amor.
- Trabajo para sentirme satisfecha.
- Cocino para sentirme feliz.
- Corro por satisfacción personal.
- Limpio el inodoro para ser feliz.

Ha habido casos en que las participantes han desafiado el ejercicio planteando actividades como "discutir con mi esposo" o "pegarle a mi hijo", pero, aunque no quieran admitirlo, sucede lo mismo: el cuestionamiento las lleva a un concepto original, como pureza, poder, paz, felicidad, amor o verdad. Pueden ser momentos breves de triunfo, quizás con consecuencias lamentables. Sin embargo, estamos casi programados para regresar a la Cara Eterna, aunque sea en una dimensión profundamente subconsciente.

Las agencias de publicidad en todo el mundo saben que así es la naturaleza humana. Nos vemos a todo momento impelidos a regresar a nuestros valores esenciales, nuestra núcleo original, nuestras cualidades eternas. Es poco probable que lo presenten en esos términos, pero los publicistas saben que todo ser humano en este planeta busca amor, paz, felicidad, libertad, verdad, poder y dicha. La próxima vez que pases junto a un cartel publicitario, fíjate en lo que tiene escrito.

En Australia puedes comprar amor (un automóvil) por sólo $24.990.

Otro auto: No es para conducirlo, es para tener una cita con él.

Una pequeña botella de agua con colorante verde, burbujas y azúcar te dará libertad.

Una marca de ropa te ofrece "onda", una promesa de aceptación y autoestima por unos cuantos dólares.

Por supuesto que unas vacaciones en una isla tropical te brindarán paz mental y libertad, quizás amor, dicha probablemente, y felicidad, definitivamente.

Los computadores nos confieren poder (como los autos).

Suma y sigue.

Caemos en el juego de los avisadores porque sentimos el impulso subconsciente de reconectarnos con nuestro ser esencial. Pagamos nuestro dinero y podemos acertarle o no a lo que buscamos, pero cuando lo encontramos, el efecto parece no durar demasiado.

Cuando de verdad comenzamos a descubrir la Cara Eterna, obtenemos una enorme sensación de alivio. Cuando, a través de técnicas simples y poniendo atención, entendemos cómo satisfacer nuestros más profundos deseos conectándonos con la Cara Eterna y la esencia del ser, va quedando en evidencia que muchas de las cosas que hacemos son innecesarias.

En todo el mundo, las mujeres están despertando a sí mismas, a sus reales deseos, a sus verdaderas esperanzas y sueños. Como era de esperar, estas mujeres descubren que la cultura de la acumulación y el materialismo hace mucho tiempo que no las satisface. Ha sido una ilusión.

Pero una cosa es despertar y decir "Esto no me está funcionando", y otra, saber de pronto qué hacer al respecto.

La Cara Eterna es la memoria, y el primer paso para recuperarla es reconocer que existe. Si busco amor, debo haber conocido el amor. Si ansío la paz, en mi esencia debo haber conocido antes la paz. Si quiero gozar, es porque el gozo debe haber sido parte de mi mundo. Si puedo imaginar la pureza de la vida, es porque intrínsicamente debe resonarme la pureza. Si me parece importante ser auténtica, entonces de algún modo debe ser que mi naturaleza misma es la verdad.

Por mucho, mucho tiempo nos hemos acostumbrado a mirar fuera de nosotros, a preguntarles a los demás qué hacer. Las Cuatro Caras se trata de volverse hacia adentro. La Cara Eterna está disponible para cada una de nosotras, aunque resucitarla requiere de un compromiso. Para la mayoría esta Cara ha estado durante largo tiempo enterrada, incluso es un milagro que aún sobreviva. Pero la verdad no puede ser aniquilada. El espíritu nunca muere, y la Cara Eterna es espíritu puro.

Debes comprometerte a regresar a la Cara Eterna a tiempo completo, y no sólo para vislumbrar su belleza. Se trata de una tarea que obtiene su fuerza y coraje de un anhelo profundo dentro del alma. También le da fuerza al viajero saber que hay millones de mujeres y hombres en todo el mundo emprendiendo y retomando el camino del alma. Es un viaje que dura toda la vida. Es aventurado, bello y lleno de magia.

Quien guía el proceso de regresar a la Cara Eterna —o sea, a casa— es la Cara Shakti, nuestro ser más elevado y conocedor. Este rostro asume las funciones del sabio, del protector de la esencia, del observador y del alquimista. En las Caras Tradicional y Moderna, Shakti nos rescata de la ilusión y vuelve a exhalar vida y fuerza al alma. Es la parte más sabia de nosotros. Su camino se compone de los siguientes actos:

- Conocer
- Conectarse
- Ser
- Compartir

Shakti nos lleva a nosotros mismos. Tiene los poderes, tiene perspectiva y está siempre disponible. Es el rostro dentro de cada uno de nosotros cuyo tiempo es *ahora*. Es la cara que nos armoniza con la práctica de recordar y reconectarnos con quienes en realidad somos.

Práctica del conocer

Las siguientes son sugerencias sobre cómo hacer realidad el conocimiento sobre la Cara Eterna. Prácticas sencillas que de verdad logran un mundo de diferencia.

1. Repetir ciertas afirmaciones durante el día:

En esencia soy pureza, soy luz, soy amor.
En esencia soy poderosa y pacífica.

2. Tras completar con éxito las actividades o interacciones del día, poner atención a los propios sentimientos. Analizar cuál fue la recompensa.

3. Darse cuenta de la energía viva que hay dentro del cuerpo: es una sensación como de cosquillas. Prestarle atención lo más frecuentemente que se pueda. Esta energía es una extensión física de la fuerza vital del alma. El alma, la esencia, la conciencia, se ubica detrás de la frente en la base del cerebro y utiliza esta facultad para trabajar a lo largo del cuerpo. Extendemos nuestra fuerza vital a través del cuerpo confiriéndole energía a todas sus partes.

Práctica de conexión

Practica el estar "presente", es decir en el *ahora*. Hay varias maneras de hacerlo:

Escuchar a otro, la propia respiración, el mundo. Tan sólo escuchar.

Dibujar, pintar, esculpir, bailar: expresarse artísticamente sin emitir un juicio al respecto. Tan sólo ser *en* esa expresión.

Estar atenta, en el sentido budista del término: con plena conciencia de cada acción que se realiza, incluso la más pequeña.

Imaginar que se es una pequeña estrella titilante que brilla justo detrás del centro de la frente. Esta gran metáfora visual nos ayuda a despojarnos de aquellas falsas identidades con las que a cada momento nos asociamos.

Cuando se presta atención a la energía interna del cuerpo y uno se da cuenta de que la fuente originaria de esa energía es el ser, se hace fácil sentir esa energía como nuestro "cuerpo de luz". Mientras más se perciba esa energía interna como un cuerpo de luz, podremos desconectarnos con mayor facilidad de las construcciones del ego y reconectarnos con la verdad del propio ser.

Meditación

La meditación es una de los mejores maneras no sólo de conectarse sino de fortalecer nuestra capacidad de "estar" más frecuentemente conectados con nuestra esencia. Hay muchos tipos de meditación, y pueden aprenderse sin problemas a través de internet o en libros diversos. No las he intentado todas, pero prefiero la meditación Raja Yoga porque es silenciosa y puede hacerse con los ojos abiertos o cerrados; es decir, en cualquier lugar y casi en cualquier momento. Consiste sólo en cambiar el foco de atención y usar la capacidad pensante de un modo más inspirado y útil.

En esencia, el Raja Yoga (*Raja* significa rey, soberano, maestro; *Yoga* significa conexión) es la práctica de conectarse y "descansar" en esa energía delicada que es el alma. Puedes usar la imagen de la estrellita, cualquiera de las prácticas recién descritas, e incluso pensamientos o palabras diversas para guiar la mente hacia aquella experiencia del ser —conciencia, alerta— que existía *antes* de que nos encarnáramos en un cuerpo. Mientras más logra uno reconectarse con la "semilla" de quien era antes de cualquier condicionamiento, más fácil se hace sostener esa distinción y sentimiento en el quehacer diario. Luego bastará con recordar esa sensación.

Meditación 1

A continuación hay un ejemplo. Se trata de una visualización muy simple. Si durante una meditación se te hace difícil "ver", no hay problema. Basta con que te hagas una idea de lo que te sugiero que veas.

Imagínate a ti misma, tu ser sensible y pensante –tu atención, aquella que observa y se da cuenta de los pensamientos y sentimientos– viajando hacia el cielo y más allá del cielo. Hay allí una dimensión de luz rojiza dorada, profundamente silenciosa y por completo quieta. Tan sólo permítete sintonizar con la sensación que hay allí e imagínate cómo será la frecuencia de ese lugar, esa dimensión de luz cálida, silenciosa y dorada.

Mientras descansas ahí, pon atención a unas minúsculas chispas de conciencia pura; seres de luz que emanan naturalmente una luz agradable y potente. Son por completo estables, absolutamente seguras. Ve si acaso puedes sentir esa atmósfera de total seguridad. Percibe cómo es que esos seres de luz están protegidos. En esta dimensión, se sostienen en el poder y en el amor. Están con la Fuente, el Supremo, que es un ser de luz tal como ellos, y a la vez una fuente radiante de puro amor.

Mientras observas a estos seres, pon atención, si puedes, a cómo están conectados de un modo muy natural con el Supremo, con esta fuente. Ve si puedes sintonizar con una de estas almas y sentir el amor del que están llenas. Hazlo ahora. Siente la energía que llega a este ser de luz desde la fuente de la luz. Puro amor. Siente la frecuencia de esta energía pura. Sintoniza la sensación de seguridad. Disfrútala por unos minutos.

Ahora, con cuidado fíjate cómo tu atención vuelve a lo físico: tu cuerpo y la habitación.

Meditación 2

Utilizaremos ahora una metáfora familiar para ir desde lo físico a lo inmaterial. Recuerda que la conexión con tu Cara Eterna busca ponerte en armonía con sentimientos puros y delicados, más que con una identidad asociada a funciones y relaciones del cuerpo. Se trata de sintonizar con la esencia.

Siéntate cómodamente e imagina que vamos a visitar "la casa del ser". Estás de pie frente a un hermoso portal. Sientes cierta excitación al pensar que estás a punto de regresar "a casa", a ti misma. Pero también sabes que éste es un proceso gradual que llegará a su debido momento y que debes ser paciente.

Ahora comienzas a sentir el metal frío de la llave en tu mano. Miras hacia abajo y ves tus pies. Recuerda que es tu llave, tu portal, tu casa. Estira la mano, pon la llave en la cerradura y abre sin esfuerzo. Mientras caminas por el sendero que te llevará a esa casa encantadora, recibe el calor del sol sobre tu piel y la suave brisa que acaricia tu cabello. Escucha el sonido de tus pasos sobre el sendero y siente la textura del suelo bajo tus pies.

Detente al llegar delante de la puerta. Aquí tienes la oportunidad de dejar cualquier carga que pueda entorpecer tu viaje. Pasarás por aquí al salir y puedes recuperarla si quieres. Así que deshazte ahora de lo que quieras dejar atrás.

Cuando lo hayas hecho, comienza a caminar hacia ese lugar, ese espacio que es la Cara Eterna. Puede ser una habitación dentro de la casa, o un lugar especial del jardín o el patio. Ahora no pienses, sólo avanza. Donde sea que vayas será un lugar hermoso, cómodo, y donde te sentirás totalmente en casa. Si por alguna razón no se siente encantador y cómodo significa que te has desviado y has entrado en el lugar equivocado. Sólo da la vuelta y avanza hacia el lugar correcto. Sencilla y naturalmente.

Ahora que te encuentras allí, permítete ponerte muy, muy cómoda. Siente cómo se siente estar "en casa". Mientras más te permitas descansar en este lugar, más te darás cuenta de que tú eres este lugar. Una combinación perfecta.

Tan sólo imagínate que puedes acostumbrarte, acomodarte, absorber la atmósfera del lugar. Basta con que te sumerjas y te dejes ser.

Permítete permanecer aquí por unos minutos, disfrutando de la sutil sensación que te comunica este espacio.

Después de un rato… comienza de a poco a concentrarte y avanza hacia la puerta principal de la casa, llevando contigo los delicados sentimientos y energías con que te has conectado en este lugar. Son tuyos, para que los lleves al mundo exterior.

En tu camino de regreso recoge aquella carga que aún no estás preparada para dejar, y encamínate por el sendero cerrando la puerta detrás de ti.

Cómo reflejarlo en la práctica

Consolida lo que has conseguido. Así, la próxima vez te será aun más atrayente, tendrás más confianza para continuar y completarás la práctica con un resultado positivo. Es tanto mejor comenzar el día sintiéndose bien con uno misma. Además, muchas investigaciones demuestran que criticar nuestros propios esfuerzos es mucho menos efectivo para "tener éxito" que ser positiva. Anota algunas ideas:

Recuerda que la mejor manera de desarrollar habilidad en una práctica nueva es centrándose en aquello que resultó positivo, por insignificante que parezca. Por ejemplo, puedes haber notado que te las arreglaste para estar alerta todo el tiempo, sin quedarte dormida.

O que no viste nada pero te sentiste en paz.

O que, aunque los pensamientos iban en diferentes direcciones, de algún modo pudiste llegar al lugar que querías.

O que habías dejado en la puerta un equipaje que de regreso no quisiste recoger.

O que, antes de quedarte dormida, sentiste la brisa en tu pelo.

Práctica avanzada

Dirígete a tu lugar, tal como en la práctica anterior, pero esta vez permite que el espacio se amplíe para acoger también a Dios, la Fuente, lo Divino. Permite que la luz del Supremo te conforte, te llene, refleje tu propia divinidad.

La Cara Tradicional
Soy quien dices que soy
La que conforma

*En algún momento, por miedo a peligros visibles o invisibles,
surgió la socialización. Se trata de realidades complejas frente a
las que las mujeres tienen un nuevo papel que desempeñar.*

*Hermosa paridora de bebés, sanadora, guardiana de la
Tierra, la familia y los niños, la mujer se ve rodeada de una ley
y un sistema de protección. Se declara el nacimiento del mal a
partir de la protección ante el miedo y del miedo a la protección.*

*Pero entre estar rodeada y estar enjaulada sólo hay
un pequeño paso.*

*Y el mundo está lleno de mujeres que han sido heridas y
dañadas en el nombre de las leyes. Apedreadas hasta la muerte.
Con culpa y una sensación de no ser adecuadas que les sube como
serpientes en su oscura soledad.*

*Yo me veo afectada y me rodeo a mí misma de leyes. Me
siento segura bajo reglas fuertes, e insegura sin ellas. No siempre
comprendo ni percibo esto en mi propia vida.*

*Conservo recuerdos de una rica e increíble variedad, y eso
lo he logrado aquí más que en cualquier otro seminario del
que he participado. Es probable que se deba a que las Cuatro
Caras permiten y motivan que las mujeres nos exploremos y
lleguemos a comprender y compartir la profunda riqueza interna
que encontramos. Así hacemos surgir nuestras experiencias y
diferencias hasta encontrar hilos y patrones comunes entre los
santuarios femeninos internos de todas nosotras.*

*He tenido el privilegio de comprobarlo muchas veces y en
muy diferentes contextos y países. La sensación de riqueza y
abundancia sigue ahí, siempre.*

Valeriane Bernard

La Cara Tradicional aparece en sociedad. Allí olvidamos nuestra verdadera naturaleza, nuestra forma y ser originales. A medida que vamos asociando nuestra noción de ser con objetos externos a nosotros, dejamos de vivir como un ente consciente, con una energía interna no física y en complicidad con el cuerpo. Así nos vamos apartando de nuestra energía esencial y comenzamos a confiar más en los demás que en nosotros mismos; perdemos la fe en nuestro propio saber y en nuestra propia verdad. Al final, terminamos por perder la conexión con nuestra naturaleza eterna, la delicada historia del alma, y por eso nos debilitamos y volvemos mortales: vulnerables. Apenas funcionamos para subsistir.

Cuando la diferencia se vuelve amenaza

Cuando esto sucede, irrumpe nuestro más profundo impulso y buscamos modos de mantenernos seguros y a salvo. Establecemos límites, marcos que alejen el peligro. Por supuesto, el peligro puede ser representado por cualquier cosa que suponga una "amenaza perceptible" a nuestra propia existencia. Nos sentimos seguros sólo con quienes son como nosotros. Alguien diferente, un otro a quien no comprendemos (hombre/mujer, blanco/negro, amo/esclavo, y así), amenaza en alguna esfera nuestra sensación de seguridad y, así, se convierte en el enemigo. Existe fuera de nuestro "sistema cerrado de creencias seguras".

En Australia, cuando los anglosajones aparecieron en las costas de La Perouse, en Sydney, fue tal su temor ante la amenaza que los indígenas representaban para sus vidas que tomaron sus armas y procedieron a eliminar a muchos de ellos. ¿Por qué percibieron a los aborígenes como una amenaza? Básicamente porque eran diferentes, porque existían fuera de sus barreras de seguridad. El color de su piel era más oscuro, vestían poca ropa –si es que no iban desnudos– y portaban armas de caza. Lo que los conquistadores no entendieron fue que los aborígenes australianos nunca han sido guerreros y a lo largo de la historia han acogido pacíficamente a los visitantes.

Es lo que hacemos los seres humanos cuando perdemos nuestra identidad y tomamos la forma de nuestros cuerpos como aquello que somos. Lo que no entendemos, a partir de la diferencia de los cuerpos, lo excluimos. Las cazas de brujas del medioevo son un buen ejemplo. La exterminación de judíos durante la Segunda Guerra Mundial, otro. La discriminación en los patios escolares por razones culturales, de estatus socioeconómico, apariencia física, capacidad deportiva, preferencias artísticas, etc., es también un ejemplo de la Cara Tradicional en acción.

Aparte de la seguridad como motor, este rostro también actúa por impulso gregario, esto es, de acuerdo a la necesidad de pertenecer a un grupo, de ser aceptado, ser amado, ser aprobado, ser apoyado. Nos fortalecemos al estar en armonía con aquellos que son como nosotros, o por lo menos se fortalecen las construcciones de nuestro ego. Cuando afirmamos ese ego, éste se siente seguro y a salvo en su propio engaño, satisfecho de seguir sobreviviendo. Cuando olvidamos quiénes somos, ese ego somos nosotros.

Todos usamos este rostro en diversos momentos de la vida. Todos necesitamos sentirnos a salvo, amados, aceptados y conectados. En la Cara Eterna somos así de modo inherente: eternos, indestructibles, conectados con todos los seres vivos, queridos y capaces de querer.

Las limitaciones

Como mujeres, como cuerpos que somos, tenemos limitaciones, y aunque podamos habernos rebelado contra esto (lo veremos en el capítulo de la Cara Moderna), seguimos moldeadas y en conexión con un sistema de dominación que de muchas maneras sigue diciéndonos que somos inferiores, débiles, serviles, y que nos excluye de la toma de decisiones. Hay lugares donde las mujeres aún son financieramente dependientes, el apéndice de un hombre que en algunas culturas todavía es el amo. Y para muchas mujeres tiene sentido someterse a la identidad de "madre" y sirvienta de sus hijos, aferrándose a ellos e inconscientemente quitándoles su poder o energía. Hay mujeres que sienten celos de sus hijas, mujeres que se enamoran de sus hijos, que se han perdido a sí mismas en sus hijos, todo en un intento de atraer el poder, el amor, la seguridad, la aceptación.

La Cara Tradicional no es mala en sí misma; sólo limitada e ineficaz. Tan pronto como adoptamos una identidad física, nos limitamos a acceder apenas a un pequeño porcentaje de lo que está a nuestra disposición. Así, sólo podemos ser mujeres tal y como se nos define en los términos y el contexto de nuestra cultura, religión, familia, raza, etc., de otro modo arriesgamos ser marginadas, excluidas, acusadas. En tal estado, o asumimos nuestro poder y autosatisfacción a partir de nuestros cargos o del hecho de dominar a los demás, ser "buenas ciudadanas" y seguir e incluso defender las reglas, o aceptamos nuestra impotencia y dejamos que aquellos en cargos de autoridad tomen todas las decisiones por nosotras.

Percibir, pensar y decidir desde dentro del sistema

Para quienes prefieren la Cara Tradicional, el hecho de ceder la toma de decisiones tiene una consecuencia compensatoria lógica: renunciamos a nuestros derechos a cambio de sentirnos seguras, a salvo, acogidas, amadas y aceptadas. Para ser parte del "clan" debemos renunciar a cuestionarlo y aceptar las reglas y condicionamientos culturales que lo definen. Todo nuestro razonamiento funciona sólo dentro del marco de los paradigmas con los que convivimos. Comprender y aceptar ciertos rituales y prácticas es un perfecto ejemplo de ello. Les he preguntado a personas que practican los mismos ritos religiosos el significado o propósito de éstos. Por lo general obtengo dos tipos de respuesta:

1. "No lo sé" (o algún vago intento por dar con una razón sobre la que no tienen certeza).

2. Una interpretación más bien dogmática, acompañada de interpretaciones diversas.

Alguna vez alguien estableció que cuando uno le ofrece su alimento a Dios, esa comida se transforma, y entonces quien es alérgico a ese producto puede comerlo sin problemas. Si eso fuese cierto, los yoguis diabéticos que conozco comerían sin problemas alimentos con azúcar que antes les han ofrecido a Dios.

Una amiga, Maureen, contó una vez que cada domingo su madre cocinaba el tradicional asado neozelandés. Como soy vegetariana, ésta no es mi historia favorita, pero sirve para ilustrar cómo la imaginación tiende a convertir la mitología en verdades. Maureen nos contó que siguió el ejemplo de su madre cuando llegó a adulta y tuvo su propia casa con su cocina. Cortaba las piernas de cordero y las ponía en dos bandejas para el horno. Un domingo, cuando su familia se reunió en casa de sus padres para un almuerzo, un invitado preguntó qué sentido tenía cocinar ambas piernas por separado. Todos en la familia se apresuraron para dar sus razones. La de Maureen, según recordó, fue que "así la carne queda mucho más blanda". Mientras todo esto sucedía, resultaba asombroso mirar la cara de incredulidad de la madre de Maureen ante todas estas historias. Esperó hasta el final y luego dijo que nada era cierto, que sólo era que ¡las dos piernas no cabían en una bandeja!

Ya vemos: o dejamos que otros piensen por nosotros o creamos "verdades" a partir de una interpretación de nuestras percepciones. Al hacerlo, debemos ignorar nuestra voz interna, nuestra conciencia, y en consecuencia dañamos nuestra capacidad de discernir y decidir. Al renunciar a nuestra relación con la verdad para sentirnos seguras, se nos hace casi imposible pensar fuera de las barreras que se han ido definiendo a lo largo del tiempo. Al ceñirnos a una identidad limitada –por ejemplo, la de "mujer"– estrechamos nuestra mirada, castramos nuestra percepción, matamos nuestro conocimiento, nos empequeñecemos y aprisionamos. Así cedemos nuestro poder y libertad, disponemos el derrumbe de nuestra autoestima, confianza y respeto por nosotras mismas.

La Cara Tradicional puede ser muy cómoda

A algunas les funciona muy bien la Cara Tradicional (y, muchas veces, por largos períodos). Es muy reconfortante conocer el papel y el lugar de uno en el mundo. Si el sistema establecido es generoso, benevolente y nos atiende bien, ¿para qué aproblemarse? Una vez, en Lituania, una joven trajo al taller de las Cuatro Caras a su madre de cincuentitantos. La mujer en verdad hizo un esfuerzo por comprender a qué nos referíamos con lo de Cara Tradicional. Ella era excepcionalmente feliz con el hecho de ser madre y esposa. Nos contó cuánto su esposo se preocupaba de ella y la cuidaba, cómo él ganaba un buen sueldo, que si él llegaba a morir ella estaría atendida, y que disfrutaba cocinando, limpiando y ocupándose de la familia. A ella le gustaba que él tomara todas las decisiones importantes; era feliz así. De más está decir que no volvió al día siguiente.

Es cierto que es fantástico no tener que pensar, ni lanzar al aire todo tu sentido del ser para luego hacerlo explotar como un mito. Ni tener que emprender un viaje comprometida con descubrir quién eres en realidad, luego de años y años de creer otra cosa. Claro que resulta atrayente la dicha de la ignorancia. Y, en muchos sentidos, esa mujer tenía razón. Si uno es feliz, ¿para qué molestarse?

Todo lo que yo podría decirle es que no hay nada malo en dejar que alguien o algo nos haga felices, y que el único desafío o problema se presenta cuando el sentido de quién soy está definido por mi cargo, mi imagen, mi esposo, mis amistades, mi casa, mi auto, mi dinero, mi salud, mi cuerpo, mi trabajo, mi reputación, porque todo eso puede desaparecer mañana. Y entonces, ¿dónde quedo yo? ¿Quién soy? ¿Cómo sobrevivo?

También es importante darse cuenta de que no hay problema con los cargos en sí, ni con las posesiones, la salud, las relaciones o el dinero. Es sólo que cuando perdemos nuestro sentido del ser en esas cosas, cosas externas a nuestra naturaleza, nos volvemos dependientes y vulnerables. Una parte de mí quisiera agregar la palabra "irresponsable", pero creo que sería un poco duro. ¡Quizás sólo sea que siento celos de quienes pueden adormecerse en la dicha de su ignorancia y salirse con la suya! Si es así, felicitaciones, deben tener un muy buen karma.

Tomando en cuenta que fue mi madre quien comenzó a preguntarse "¿quién soy, más allá de una madre y una esposa?", yo no tuve la opción de esconderme en la tradición. Tampoco creo que mi personalidad intrínseca lo hubiese permitido. Sin embargo, hubiese deseado que, al ser pionera en ese recorrido, mi madre hubiese tenido más herramientas a su disposición.

Durante un tiempo se aventuró en la psicología y mantuvo su fe católica. Pero cuando la tradición del catolicismo la decepcionó en su búsqueda espiritual, se quedó con su amor por Dios, su amor por la vida y su aprecio por el trabajo de Carl Jung. El suyo debe haber sido un recorrido muy solitario, pues ni mi padre, de quien más tarde se divorció –a propósito: hace poco volvieron a casarse–, ni nosotros sus hijos fuimos en absoluto un apoyo. Los cambios de mi madre significaron una molestia para el orden disfuncional de nuestro caótico sistema familiar. Aunque bajo ningún punto de vista era un sistema perfecto, todos sabíamos cómo funcionaba, quién desempeñaba cada función, qué debía hacer cada uno y con qué podíamos abusar. Eso, hasta que Joan comenzó su viaje. Y aunque en ese momento fue difícil –y, de verdad, yo no comprendí ni apoyé a mi madre–, hoy aplaudo y aprecio el camino que ella tomó y me abrió.

Por eso espero que las páginas de este libro les ofrezcan algún apoyo, alguna guía y algún tema de conversación que hagan que su búsqueda sea más fácil de lo que fue para los pioneros solitarios, como mi madre.

¿Qué obtengo al adoptar esta Cara?

- sensación de seguridad
- sensación de pertenencia

- que me acepten
- que me quieran
- "soy parte de una comunidad, y por lo tanto estoy a salvo; estoy bien".

¿Cómo esta Cara modela mi autoestima?

- mi autoestima se basa en qué tan bien adhiero a las leyes y
- hasta qué grado me aceptan.
- mi sensación de autoestima suele provenir del hecho de •
sentirme mejor que aquellos que están "afuera".

¿Qué sacrifico al adoptar esta Cara?

- libertad
- verdad
- creatividad pura
- conocimiento interior
- conciencia
- individualidad - singularidad
- la revelación de mi destino

¿Cuál es el costo?

- La libre autoexpresión.

¿Qué sanskars (hábitos de personalidad) desarrolla?

- recelo
- complejo de superioridad o inferioridad
- una naturaleza supersticiosa/ temor hacia lo que está fuera
- de mi mundo
- enjuiciamiento
- temor a lo desconocido
- mentalidad estrecha

- exclusivismo
- rigidez
- fundamentalismo potencial

¿Cómo la Cara Tradicional me apoya y me limita?

Me proporciona una base muy sólida sobre la cual construir mi vida. Si juego de acuerdo a sus reglas, conseguiré lealtad, aliento y apoyo.

Un ejemplo es la comunidad judía. Está establecido que existen algo así como diez millones de judíos en el mundo, y de este grupo han surgido algunos de los más exquisitos talentos y mentes en las áreas del arte, la ciencia y los negocios. Es una comunidad que ejemplifica la Cara Tradicional porque mantiene una tradición fundada de modo profundo en la ley. Los Diez Mandamientos fueron el principio, y a partir de ellos se construyeron las reglas. El judío cuenta con una fantástica sensación de pertenencia pues, sin importar lo que pase, uno jamás puede dejar de ser judío. Eso le da a un niño un enorme ventaja en el mundo. Sin embargo, si no se es judío, jamás puede llegar a serlo, al menos no de verdad.

Hace unos años entrené a un hombre joven que estaba a punto de heredar la empresa familiar, un imperio en la industria textil. Me confidenció que, como el hombre soltero que era, disfrutaba saliendo con diferentes chicas. La de ese momento era "grandiosa". Sin embargo, dijo, ahora que tenía treinta y dos años había llegado el momento de buscar una esposa. Le pregunté si acaso esa chica no era una buena posibilidad. "Oh, no", respondió. "Ella no es judía".

Existe una cualidad de innegable atractivo en una comunidad, y en cómo cada miembro se preocupa del otro. Una base afectiva fuerte y estable, aunque sea condicional, si hace que uno sepa quién es y que pase lo que pase estará bien, es un regalo extraordinario para comenzar la vida.

En India esto también se cumple, sobre todo para los hombres. Los chicos comienzan su camino sintiéndose total y completamente adorados. Sin cuestionárselo, saben que están "bien". En una familia extensa, si tu madre no está feliz contigo o tu padre te ignora y favorece a tu hermano, siempre habrá una tía o un tío listo para darte amor y atención, ¡y muchas veces viven en la misma casa! Éste es un fantástico punto de partida.

La *sati*, la tradición por la que las viudas se inmolan junto a su esposo muerto, es otro ejemplo de una tradición que le quita poder a la mujer, al establecer que su esposo siempre será su "dios". Luego de su muerte, muchas veces ella queda librada a su suerte: de hecho, los parientes de su esposo pueden quitarle a sus hijos para educarlos en nombre de su padre, y expulsar de la casa a la mujer aunque ella no tenga manera de ganarse la vida. En casos así, rara vez será acogida de vuelta en casa de sus propios padres, quienes muchas veces han pagado una dote significativa para deshacerse de su responsabilidad. Dependiendo de qué lugar y en cuál cultura de la India, la mujer no tiene acceso a un trabajo remunerado. Por eso, lo más adecuado es que ella decida "irse" junto a su esposo fallecido.

En otras circunstancias –sea la mutilación genital, la condonación del incesto, la esclavitud infantil o, simplemente, que las niñas limpian lo que sus hermanos ensucian–, existen historias de todas las culturas, todas las religiones, todas las tradiciones que muestran cómo este rostro de verdad limita la expresión natural y la libertad de recorrido del alma, en particular de las mujeres.

¿Qué sentimientos genera?

- temor
- comodidad
- seguridad
- calidez
- sensación de estar atrapada
- leve sensación de pérdida

¿Cuáles son sus fortalezas?

- comunidad
- apoyo
- estabilidad
- capacidad de compromiso
- confianza

¿Cuáles son sus debilidades?

- exclusivismo
- intolerancia
- estrechez mental
- control

¿Cuáles son sus motivaciones principales?

- seguridad
- pertenencia
- aceptación
- amor
- certeza

¿Y sus principales desafíos?

- disposición al cambio
- aceptar las diferencias
- proyectarse
- aprender desde "fuera" de la tradición establecida
- ser generoso con quienes no pertenecen al clan, sin ser condescendiente

¿Cómo maneja el cambio esta Cara?

- negándolo

- resistiéndolo
- boicoteándolo

¿Qué capacidad de liderazgo posee quien usa la Cara Tradicional?

En las actuales circunstancias, esta Cara no es un buen líder. Les dirá que no necesitamos un cambio. Buscará respuestas en el pasado y no estará dispuesta a indagar por sabiduría en otras tradiciones ni otras fuentes. Siempre temerá lo desconocido, pese a que, por supuesto, hoy el futuro es por completo incierto. No se lleva bien con el caos y necesita sentir que tiene el control.

Tampoco sirve para administrar la ambigüedad o la paradoja. Como tiende a lo dogmático, puede que le sea extremadamente difícil sostener los dos extremos u opuestos de un espectro, prefiriendo la integración.

¿Cómo se relaciona esta Cara con el poder?

Su relación con el poder es jerárquica. Cuando se usa esta Cara, en la pirámide del poder siempre habrá alguien más arriba o más abajo. La posición es poder, y con este rostro competimos con otros, reverenciamos a alguien o esperamos que alguien nos reverencie. Como sea, constituye un malentendido sobre el poder. Es un poder asociado al sistema y los cargos, no al individuo por su propio valor.

¿Cuál es su orientación temporal?

Ésta es la Cara enredada con el pasado. Determina el presente y el futuro basándose en lo que ha sucedido antes.

¿Cómo se relaciona con la emoción?

Debido a que su fundamento es el pasado, la esfera de esta Cara es la emoción. Las emociones son el ámbito del recuerdo y la comparación. Puede resultarle devastador perder aquello que fue y que siempre ha sido. Por eso, este rostro tiene incrustado el temor a la pérdida. Como su identidad está tan relacionada con el colectivo, cuando algo en la comunidad cambia, muere o se pierde, naturalmente el individuo siente dolor.

Sin embargo, si el que está dentro de este paradigma es un hombre, deberá negar sus emociones, en particular aquellas que se perciben como débiles. Por ejemplo, los hombres tienden a expresar su enojo en vez de su decepción o su tristeza. No hay duda de que ésta es una construcción de la Cara Tradicional.

¿Cuál es su principal adicción?

El orgullo. Las apariencias ante los demás lo son todo. No permitirá que nadie conozca sus secretos. Aquello que ande mal en la familia, religión, organización, clan, ahí se queda. No habla sobre sus problemas. Debe verse incólume ante los demás.

¿Cómo esta Cara se relaciona con Dios?

Lo ve como el protector, el castigador, padre o madre. Si seguimos todas las reglas y somos buenas, entonces nos cuidarán. Pero si rompemos las reglas, es probable que convoquemos la ira de un Dios que, como extensión de esta Cara, es vengativo y castigador. En los juegos humanos de poder, Dios suele usarse como herramienta. Por eso, cuando necesitamos que los demás se ubiquen en un puesto inferior y nos obedezcan, les hablamos del "temor de Dios".

Ya que éste es un mundo limitado, basado de manera importante en una identidad vinculada al mundo físico, en nuestros cuerpos y los de otros seres humanos, también Dios es reflejo de eso. Si Dios es poderoso, entonces Dios es autoridad y está en el tope de la jerarquía.

En ambientes religiosos —los cuales, a estas alturas, son pura Cara Tradicional—, vemos seres humanos actuando como "representantes de Dios". Esto eleva su estatus de poder y les permite desempeñar todo tipo de acciones en nombre de Dios.

Esta Cara incluso declara la guerra en nombre de Dios. Protege a su clan, y si éste es religioso, entonces Dios lo guiará y protegerá. Dios tendrá la última palabra sobre ir a una guerra; aunque, por supuesto, no es en realidad Dios sino un ser humano que, a por necesidades de su propio ego, usa el nombre de Dios para probar que "lo incorrecto es correcto".

Lamentablemente, ésta es la Cara que desprestigia a Dios. Le pone límites a lo Ilimitado. Pero no lo hace de un modo consciente ni malicioso. La identidad y capacidad de Dios están siempre contenidas dentro de nuestros propios pensamientos, experiencias, vida, amor, esperanzas y sueños. Nuestros límites surgen al combinar nuestro recorrido de vida con el de los demás, y con el tiempo van cambiando y distorsionándose como resultado de la modificación que se les hace a las historias y reglas para uso o beneficio personal.

No queda otra opción que darnos cuenta de que, si somos limitados, nuestro entendimiento y experiencia de Dios se limitará sólo a aquello que sea posible de ser imaginado o experimentado. Y que, por supuesto, Dios está muy, pero muy por encima de nuestro pequeño ser. Siempre seremos menos: simples mortales, pecadores y corruptos.

Sin embargo, es posible creer en que Dios me perdonará y me salvará si sigo las reglas lo mejor posible y que, cuando no me sea posible, quizás de todas formas me perdone.

La Cara Moderna
No soy quien dices que soy
la que Reforma

El círculo de protección se vuelve una cárcel. La Cara Moderna se rebela y busca liberarse de los abusos de poder y rigideces que se les han impuesto a las mujeres dentro de las relaciones. La Cara Moderna es pensadora, libertaria, activista, hechicera...

Muchas veces el mundo de los sentimientos y deseos internos, el mundo de las relaciones, se nos ha vuelto una jungla incomprensible y contradictoria. ¿Quién soy? ¿Qué quiero? ¿Por qué estoy insatisfecha? Furia, oh, furia, ¿de dónde vienes?

En lo personal, el modo en que este taller me ha enriquecido ha sido dándome un nuevo método de lectura con el que visitar mi jardín interior. Tal como se puede caminar por los senderos de un parque y ver diferentes formas de vida y colores, y experimentar la primavera, el verano, el otoño y el invierno, así se puede procesar la información disponible en la tierra, los árboles y las plantas. Información que sería un completo caos si no conociéramos los patrones regulares de las estaciones.

Cuando te das cuenta de que te has perdido en la Tradición de los demás, cuando sientes que se ha borrado quien intrínsecamente eres, cuando ya no sabes lo que "tú" sientes ni "tú" crees; cuando percibes que no tienes poder ni libertad para ser quien eres; cuando despiertas al hecho de que simplemente has adoptado los pensamientos y opiniones de tus padres y tus pares, en mayor o menor intensidad irrumpirá la ira, que puede ir desde la molestia a la furia.

Solemos enojarnos entonces con aquellos que nos formaron: familia, religión, cultura, cónyuge, institución. Ya no queremos ser "quien tú dices que soy" y comenzamos a encontrar nuestra propia voz; ¡y esa voz está furiosa! Gritamos: "¡Yo no soy quien dicen que soy!". Nos rebelamos y hacemos aquello que sea distinto del sistema que nos formó. Luchamos por no ser lo que éramos.

Por desgracia, si insistimos en luchar o resistirnos contra
aquello que nos moldeó, nos seguirá controlando. Es nuestro
referente. Sin embargo, cuando comprendemos que aquello que
ansiamos —verdad y autoexpresión— no lo vamos a encontrar
resistiéndonos ni en lo que, de hecho, es una anti-identidad,
podemos apreciar a La Cara Moderna como el primer paso en el
proceso de recuperarnos a nosotros mismos.

Valeriane Bernard

En su faceta aparentemente más benigna, la Cara Moderna es como el lado pasivo-agresivo de la autoexclusión. Se rebela al no participar y al retener energía; o sea, la energía extra del gozo, el entusiasmo, el amor que uno puede agregarle a un cargo, un trabajo, una tarea, una relación. Hace muchos años trabajé con un banco, y en una sesión le pedí al grupo que pensara en algo que los apasionara. Una mujer comenzó a hablar y, mientras lo hacía, parecía que revivía al describir la belleza y precisión de su bordado. Le pregunté cómo podía traer la esencia de esa afición creativa al trabajo…, no el bordado en sí sino la belleza y precisión de esa obra. Su cara se convirtió en una máscara de horror y desdén, y dijo: "¡De ninguna manera! ¡No se los daré!".

En una típica actitud pasivo-agresiva, esa mujer pensaba que era ella quien no compartía su poder con los demás, cuando en realidad se estaba robando a sí misma aquello que la energizaba: la conexión con su propia esencia. Reteniendo esa energía, se rebelaba, reaccionando desde sus sentimientos de impotencia a la dominación del enorme sistema bancario. Pero con esto buscaba ganar el poder que había perdido.

En su forma más obvia, cuando alguien usa la Cara Moderna exhibe un coraje tremendo, una resistencia extraordinaria y el compromiso de resucitar la verdad. Ésta es la Cara del revolucionario, del rebelde, del reformador social, del niño que arma una pataleta porque se rehúsa a seguir siendo constreñido por reglas ajenas. Es la Cara del luchador libertario, del igualitario, aquel que persigue la justicia y derechos para todos como reacción a las inconsistencias e injusticias del presente, que son un legado de tradiciones pasadas.

Este rostro cuestiona la mentalidad estrecha, confronta las jerarquías e inicia revoluciones. Es la cara reactiva, aquella que avanza sobre la base de no aceptar el *statu quo*.

Pero, cuidado: el "Yo no soy quien dicen que soy" parece hacernos avanzar, y puede hacerlo, pero sólo como el primer paso de un proceso. Si nos quedamos atrapados en esta rebelión, estaremos tan perdidos como nos sentíamos con la Cara Tradicional. Si no nos damos cuenta de que ésta es una anti-identidad, lamentablemente no nos acercaremos ni un poco al "quién soy".

En un intento por reinventarnos, reconstruimos nuestras vidas sin conocer el camino por el cual avanzar. Creamos nuevas reglas, nuevos caminos, nuevos sistemas. Es muy frecuente que éstos resultan tan rígidos como lo eran las reglas antiguas. Demasiados "debes", "no debes", "tienes que" y "no tienes que", incluso bajo la forma de un "no debe haber reglas" o "debemos integrarlos a todos".

Éste es el rostro que impone la democracia sobre la dictadura, el socialismo sobre el capitalismo, el feminismo sobre el patriarcado; el de la rebeldía adolescente, los cismas religiosos, cualquier tipo de golpe político libertario.

Debido a la naturaleza de la Cara Tradicional, a la Cara Moderna se la margina pues desafía las reglas del clan; y las reglas del clan son inexorables, sacrosantas y forman la identidad de los individuos. Si cuestionamos las reglas, cuestionamos la existencia misma de nuestra "familia". De hecho, la estamos calificando de mentirosa, estafadora y fraudulenta.

En una dimensión personal, la Cara Moderna me quita mi derecho a la paz. Por la esperanza de Verdad sacrifico el amor. Debo cerrar mi corazón a todo lo que alguna vez amé, aquello que me traicionó, si quiero tener el coraje de enfrentarlo. Aquella libertad que pienso que estoy ganando, esa verdad que creo que voy a descubrir, terminan cediendo ante la emoción. No soy para nada libre; más bien estoy atrapada en el ritmo de la repulsión, y una vez más la verdad queda velada porque me he impedido a mí misma abarcar la vida en su totalidad. Me he vuelto tan selectiva y estrecha como aquello que quería dejar atrás. Cuando uso este rostro comparo lo que hago con lo antiguo (incluso en un plano subconsciente), y me digo a mí misma y a los demás que lo nuevo que he (o hemos) creado es mucho mejor.

Lo que no puedo ver mientras uso la Cara Moderna es que aunque lo externo puede haber cambiado, aquel mundo invisible que es el que de verdad dirige todo sigue siendo el mismo. Es una lucha por un poder limitado, un intento por sentirme segura y en control, pero a través de una serie de construcciones externas.

La Cara Moderna es simplemente el reflejo exacto de aquella Cara Tradicional que tanto odia.

Reconectarse con el drama

Con el paso del tiempo, y aunque quizás no lo reconozcamos con claridad, nos iremos sintiendo insatisfechas, y quién sabe si hasta tan atrapadas y contenidas como nos sentíamos con la Cara Tradicional. Puede ser que no entendamos la causa. Es posible que ignoremos, e incluso reprimamos, aquellos sentimientos que amenazan con robarnos la esperanza. Pero no se irá aquel hambre atávica que nos hizo arriesgar tanto por encontrarnos a nosotras mismas, por reconectarnos con nuestra verdad, nuestro poder y libertad.

Si durante este proceso no nos mantenemos despiertos, podríamos rechazar de nuevo, de nuevo culpar, de nuevo usar todo nuestro coraje y energía para comenzar algo nuevo… de nuevo. Buscar, indagar, ansiar. Cansarnos. De nuevo.

Y con tanta esperanza y buenas intenciones. Sólo que con el método equivocado.

Las buenas noticias

Si seguimos reaccionando contra el sistema, contra la gente y contra el control, hay ahí una gran pista que indica que aún no hemos encontrado el camino de regreso a nosotras mismas. Estamos encaminadas, avanzamos, pero necesitamos un nuevo método. Y para eso necesitamos aflojar la pelea. Ahora, eso es precisamente lo difícil. A veces ni siquiera nos damos cuenta de cuánto nos aferramos y nos resistimos. Se ha vuelto un estilo de vida.

Pero hay modos de lograrlo, y tú ya has aprendido y practicado algunas en el capítulo sobre la Cara Eterna. En cuanto a Shakti, hay un conjunto de historias, herramientas y métodos que alivian el peso de la Cara Moderna mientras a la vez se aseguran de hacerla avanzar.

Un modo diferente de análisis

No es posible solucionar los actuales problemas del mundo desde el mismo plano de pensamiento que los creó. Necesitamos un pensamiento nuevo, que a su vez requiere de una nueva identidad.

Si la Cara Eterna es la *forma original* y la Cara Tradicional es la que *se conforma*, entonces la Cara Moderna es la que *reforma*, pero no una forma nueva sino el sistema conformista.

Este nuevo pensamiento, esta nueva identidad, necesitan trascender el sistema existente y ser capaces de proveernos de un cierto desapego, una mirada panorámica y una perspectiva integral del sistema que nos permitan regresar a nuestro ser puro, a la forma original. Esta Cara ha de comprender que para avanzar y crear un mundo para mí mismo y los demás en el que valga la pena vivir, necesitaré primero transformar mi pensamiento, mi conciencia. Necesito reorientar mi atención, mi sentido del ser, hacia un estado que sea estable, que se encuentre anclado en una verdad eterna y no en un montón de construcciones externas.

Necesitaré cultivar mi mente y mi corazón, y armonizarlos con un estado auténtico del ser, una resonancia de mi propia verdad. Cuando mis pensamientos, sentimientos y acciones son expresión de mi verdad eterna, entonces se despliega la transformación.

En definitiva, es más recomendable saber cómo acceder al poder desde una fuente ilimitada de energía pura que estar continuamente atrapada en las luchas de poder del día a día. El ser independiente y compartir con los demás belleza, creatividad e intuición es un modo de ejercer una influencia para que surja un mundo nuevo a partir de una semilla pura. Entonces, de seguro el fruto de esa semilla será también puro.

¿Qué obtengo al adoptar esta Cara?

- una inyección de energía
- un sentido renovado del ser
- confianza temporal
- ilusión de empoderamiento
- una sensación de libertad
- excitación
- una nueva identidad

¿Cómo esta Cara modela mi autoestima?

Comienzo a identificarme con la virtud de aquella causa por la que lucho, y por lo tanto me siento virtuosa. Comienzo a medirme cada vez más en comparación con otros, pero siempre como alguien superior.

¿Qué sacrifico usando esta Cara?

Sacrifico seguridad, hogar, pertenencia, aceptación, apoyo, estabilidad, amor. Aunque en la Cara Tradicional éstos son dones condicionales, si quiero ser leal a mi causa debo renunciar a ellos.

Buscaré crearlos de nuevo en el ámbito que pienso crear en oposición a la Cara Tradicional, pero allí también serán condicionales. Con el tiempo, lo Moderno se revertirá y se volverá Tradicional.

¿Qué me cuesta?

- paz mental
- apertura de corazón
- estabilidad
- pertenencia
- seguridad

¿Qué sanskars (hábitos de personalidad) desarrolla?

- impaciencia
- intelecto crítico (el que siempre hace notar lo que está mal)

¿Cómo la Cara Moderna me apoya y me limita?

Me apoya al darme una sensación de independencia. Me hace sentir que no estoy viviendo sólo a instancias de los términos y condiciones de alguien más. Y me limita al absorber enormes cantidades de energía en una falsa sensación de identidad y seguridad.

¿Qué sentimientos genera?

- ira
- resentimiento
- libertad
- independencia
- odio
- superioridad moral

¿Cuáles son sus fortalezas?

- coraje
- determinación
- innovación
- visión

¿Cuáles son sus debilidades?

- arrogancia
- ilusión (foco externo, que rara vez se observa a sí mismo)
- limitación (suele rechazar incluso lo bueno de aquello a lo que se opone)

¿Cuáles son sus motivaciones principales?

- necesidad de una sensación de poder
- necesidad de libertad
- necesidad de verdad
- necesidad de autoexpresión sin restricciones

¿Cuáles son sus principales desafíos?

- desesperanza
- depresión
- cansancio ("¿por qué nunca funciona todo lo que intento hacer, todos los cambios que trato de emprender?")
- marginación
- soledad
- inseguridad

¿Cómo lidio con el cambio cuando uso esta Cara?

Normalmente sería yo la persona (o una de las personas) dirigiendo el cambio, lo que me haría sentir que tengo el control y, de algún modo, poderosa. Sin embargo, si cuando estoy usando esta Cara alguien más intenta imponerme un cambio, es probable que me resista y cuestione sus capacidades. Si puedo hacerme parte del cambio, ayudando a dirigirlo, cooperaré. Si no, hasta puede ser que lo sabotee.

¿Cuál es la capacidad de liderazgo de quien usa la Cara Moderna?

En un primer momento, puede parecer que esta Cara tiene potencial de liderazgo. Por lo general es capaz de adherir recursos y personas a su causa de cambio. Sabe cómo hablarles a las almas insatisfechas y motivar a la gente hacia la novedad. Sin embargo, cuando la mujer que usa este rostro al final se da cuenta de que en realidad nada se ha transformado y que sólo ha sido un cambio de apariencias –por ejemplo, cuando en el paso del comunismo al capitalismo el poder y el dinero sólo pasan a otro grupo–, y que todo el esfuerzo que se ha hecho en verdad no ha liberado a nadie, puede sentir desesperanza, abatimiento y cansancio.

A esas alturas, rendirse es una opción natural, en cuyo caso se desperdicia el potencial de liderazgo. Si, en cambio, la mujer que usa este rostro insiste en "proyectar" y culpar al sistema externo de su dolor y decepción, reaccionará contra el sistema y volverá a avanzar a tropezones por el nuevo camino que le indique otra moda pasajera. En la mayoría de los casos, esto provocará que sus seguidores dejen de confiar en su capacidad de liderazgo.

¿Cómo se relaciona esta Cara con el poder?

Esta Cara clama por poder. La mujer que la usa, o no tiene un lugar en la jerarquía de la tradición o se las ha arreglado para entrar en el juego y escalar la pirámide jerárquica sólo para descubrir que el poder que ella pensaba que encontraría no está allí arriba. Se enoja y desilusiona, y más que hacerse responsable de lo que siente, culpa al sistema por su sensación de impotencia, y reacciona calzándose la Cara Moderna.

¿Cómo es su orientación temporal?

La Cara Moderna está muy enfocada hacia el futuro, lo cual explica su naturaleza impaciente. Cuando uso este rostro me cuesta mucho relajarme, disfrutar del hoy, sentirme en paz, pues estoy siempre pensando que las cosas debiesen ser diferentes, planeando el siguiente paso. Por mucho que haya negado y ocultado el pasado, será ese pasado el que inconscientemente dirija mis pensamientos y acciones.

Todo lo que *no quiero* quedará en el pasado. Todo lo que *sí quiero* lo mediré de acuerdo a lo que *no quiero*. Creeré que escapo de mi pasado cuando en verdad estaré moldeando mi futuro a partir de todo lo que detesto. En Sudáfrica, el movimiento contrario al *apartheid* era, en esencia, parte del *apartheid*, y por eso no podía destruirlo sin destruirse a sí mismo. No fue hasta que sus activistas comprendieron esto y pasaron a definir una "tercera vía" –conocida como *nationhood*– que el sistema del país comenzó a transformarse. Fue más un proceso creativo que reactivo.

¿Cómo se relaciona con la emoción?

Aunque esta Cara está dirigida por la emoción, más que nada reconoce la cabeza. Si la uso, haré planes y estrategias. Estarán presentes emociones como el enojo y la excitación, pero me habré desconectado de las emociones o sentimientos delicados, que suelen verse como débiles.

¿Cuál es su principal adicción?

Sentirse moralmente superior al resto. Esta Cara cree que sabe cómo reparar lo que percibe que no está funcionando, y la persona que la usa cree que es ella quien está llamada a hacerlo.

¿Cómo se relaciona esta Cara con Dios?

Existen quizás dos maneras fundamentales en las que esta Cara percibe a Dios. Luego de observar lo que podría interpretarse como el modo irreflexivo en el que los demás se han relacionado con Dios a través de la Cara Tradicional ("fe ciega"), este rostro denunciará muchas veces a Dios como una mera necesidad de quienes son muy débiles para valerse por sí mismos. La Cara Moderna puede malentender la autenticidad y la independencia, viviendo desde una autonomía arrogante que rechaza a Dios. En los ambientes religiosos, en cambio, puede influir para que la persona crea que es voluntad de Dios convertirse en el instrumento que irradie luz divina sobre el nuevo camino contemporáneo.

Shakti o la Cara Del Poder
Tengo el poder de ser quien soy
la que transforma

La liberación del miedo y el dolor, de la ira y la injusticia, provienen de estar en el lugar interno adecuado. Conectada con los poderes internos permanentes, y reencontrando a la Divinidad.

Es accesible, es realidad, puedo recordarme a mí misma que tengo la capacidad de ser libre y poderosa en un espacio donde el amor y la belleza no visten un rostro humano. Puedo despertar en mí la Cara Shakti.

Cuando interrumpo mi vida frenética, me gusta mirar dentro de mí y ver estos grandes arquetipos, más anchos y más claros que el "pequeño yo". Hay veces en que me brindan una sensación de seguridad, y otras en que me permiten la existencia de algunas de mis reacciones y comportamientos.

La comprensión de los esquemas que van apareciendo se hace más clara gracias al encuentro con estas Caras. Es eso lo que me permite diferenciar entre lo que pertenece a los rostros Eterno, Tradicional, Moderno y Shakti.

Junto al resto de mi trabajo espiritual personal, tener y comprender estas Caras me ha permitido mantener una comprensión precisa y única sobre lo que el dolor causa en el ser y lo que la socialización le hace al espíritu.

Al usar la sabiduría que surge de esta comprensión, tengo el poder de Discernir aquellos patrones que quiero apartar y los que quiero abrir o, por el contrario, desactivar en mí.

Valeriane Bernard

La palabra *shakti* deriva de la más antigua lengua del mundo, el sánscrito, y ha sido adaptada por una de las más antiguas culturas del mundo, la de la India. Se les llama así a los arquetipos de las diosas del panteón hindú, pero en realidad shakti tiene tres significados diferentes, aunque interconectados: poder, energía creadora de Dios y feminidad divina.

El tiempo para Shakti

Existen muchas historias sobre Shakti, la feminidad divina que gracias a sus poderes sagrados ha restablecido la armonía en el mundo. Son historias no sólo de la tradición oriental, pues pueden encontrarse en mitos de culturas de todo el mundo. Expertos como Mircea Eliade establecen que la mitología es la narración de sucesos ocurridos durante la época primordial, o sea, con los seres humanos del principio de nuestro mundo.

Si así fuese, y si nos ajustamos al contexto de un tiempo circular, cíclico, es posible que lo que ahora recordemos de nuestra mitología sea la época de grandes transformaciones en la que hoy nos encontramos. No estamos acudiendo a los actos benevolentes de seres etéreos, sino más bien recuperando aquella época en la que, con el fin de generar una transformación, las mujeres traspasaron los límites de nuestro estrecho sistema y trabajaron juntas en un nivel superior de pensamiento y de ser.

La pregunta es cómo. ¿Cómo lo hicimos? ¿Cómo podemos hacerlo de nuevo ahora?

Un cambio de identidad

La capacidad de ir más allá de las formas que ahora existen y transformar el sistema que nos desempodera en un mundo más armónico y más justo, en algo mejor, primero requiere que cada una de nosotras supere los viejos esquemas de pensamiento.

El pensamiento de cada una nace, pura y absolutamente, a partir de la propia identidad. Ya hemos visto que la identidad es un asunto complejo, forjado a lo largo de una vida entera de resignación o de rebeldía; y quizás, sobre todo de toda una existencia identificándonos como mujeres.

El problema de identificarnos con nuestro género es que somos a la vez moldeadas y dirigidas (consciente e inconscientemente) por milenios de lo que ha significado ser "mujer" en su sentido positivo, grandioso, limitante y destructivo.

Si queremos encontrar el modo de cambiar nuestro pensamiento, transformar nuestros actos, sentirnos lo suficientemente poderosas para forjar la vida que queremos para nosotras, nuestras familias y nuestro mundo, entonces es esencial encontrar una nueva identidad, libre de los condicionamientos de los últimos miles de años. Si queremos volver a nuestro Ser Eterno, ese que siempre anhelamos y con el que queremos conectarnos, quizás sea allí donde debamos comenzar, y así "ser aquello que busco".

El viaje desde lo burdo a lo sutil

Estamos acostumbradas a focalizarnos en lo que nuestros sentidos perciben; a identificarnos con aquello que existe en el mundo físico, con lo que podemos ver, sentir y oír. Constatamos el efecto y nos olvidamos de buscar la causa. Ante problemas sociales como el hambre, la pobreza y el abuso, buscamos soluciones recolectando ayuda o atacando a quienes parecen ser los responsables. Hoy existe una tendencia a educar a comunidades y personas que están necesitadas en diferentes áreas, tales como la agricultura y la administración financiera y de recursos, pues eso es mejor que mantener la dependencia de las naciones. Pero incluso eso es trabajar con el problema y no con la causa. Rara vez rastreamos la causa hasta aquel sutil mundo de la identidad y el pensamiento.

Si nos sentimos inseguras o amenazadas, iremos a guardar dinero, comida y otros recursos para así estar aprovisionadas ante un posible futuro de escasez. La inseguridad desarrolla una identidad egoísta que nos hace sentirnos bien con nosotras mismas, pero que requiere de una mantención enorme y de una serie de recursos materiales con los que asegurarse una larga vida: la casa *georgian*, el auto importado, la ropa de marca, más zapatos de los que necesita una persona en toda una vida, cosméticos, cirugía plástica, y así sucesivamente. Podemos hacer una donación a una institución benéfica y apadrinar a un niño en África; financiar comida y educación a cambio de una carta y una foto que nos hagan sentir que al menos hacemos algo. Pero, en esencia y por sobre todo, nuestro mundo será el de mujeres inseguras, a la defensiva, egocéntricas, en el que buscaremos reafirmarnos a través de recursos materiales.

Cuando sentimos ese anhelo por regresar a la seguridad del Ser Eterno –ese que nos ofrece amor, poder, paz, pureza, gozo, verdad–, nos damos cuenta de que nos hemos olvidado dónde buscar. Olvidamos que el lugar donde todo comienza reside en un mundo fino e invisible: el mundo interno de los pensamientos y los sentimientos. Todo surge primero en la esfera delicada del pensamiento y la imaginación. Aquella que soy existe sin la interpretación, difamación ni regocijo de nadie más. Soy porque soy. Y sé quién soy. Es lo que llamamos referencia interna.

En la fase *conformista* (la Cara Tradicional) nos identificamos como parte de un colectivo amplio, y nuestros pensamientos y comportamientos son un correlato de esa identificación. Pensamos y actuamos de acuerdo a las reglas del grupo, con la ilusión de que al hacerlo estamos a salvo. Es entonces que nos convertimos en la mujer abnegada, la esposa o la madre servil. Manipulamos o buscamos el poder donde sea que esté, por lo general desde nuestro lugar en la estructura familiar, social o profesional. Cuando llegamos a un cierto cargo, las mujeres jóvenes "bajo" nosotras quizás representen una amenaza al limitado poder que percibimos en el sistema, y entonces las dejamos tan impotentes como nosotras estábamos antes. En esta fase nos identificamos fuera de nosotras, perpetuando así el sistema. Es lo que llamamos referencia externa.

En la fase de *reforma* (la Cara Moderna) nos desvinculamos del grupo. La identidad pasa a ser una anti-identidad, aunque, por definición y forma, sigue todavía siendo parte del mismo sistema.

Ante la tradición, nuestros pensamientos y comportamientos se manifiestan como polaridad: son el yin para el yang, lo opuesto. Es una tensión ante el "otro" que, sin embargo, mantiene el sistema vivo. Buscando ser libres, nunca lo somos, porque cargamos dentro de nuestro corazón y nuestra mente aquel sistema que aborrecemos. Todos nuestros actos están consciente o inconscientemente impulsados por nuestro apego (o nuestro desdén) al sistema. Nuestro sentido del ser está relacionado con los cambios que realizamos. De nuevo estamos en el territorio de la referencia externa.

Una nueva identidad

En la fase de *transformación* (Shakti) accedemos al poder para redefinirnos a nosotras mismas, sin basarnos en nada externo, sino más bien a partir de una llamada auténtica de nuestro interior. Al reconocer que podemos recuperar los poderes y virtudes del Ser Eterno es que comenzamos nuestro recorrido, y entonces podemos llegar a incidir en el mundo externo.

Al luchar contra el sistema existente lo que hago es cederle mi poder. Al buscar dentro de mí, en cambio, soy capaz de regenerar mi energía, prestarle atención a aquello que sé que es verdadero, comprender qué es lo correcto, desarrollar mi creatividad, perder el miedo, descubrir mi destino. El mundo a mi alrededor se convierte en un espejo en el que puedo verme y constatar mi progreso. A medida que cambio de aspecto, de mentalidad, de capacidades internas, así también va girando mi mundo. Cuando logramos conjugar un propósito puro y poderoso con la atención correcta, vemos cómo las mejoras van evidenciándose en nuestro entorno físico (higiene personal, espacio doméstico y laboral, relaciones personales y profesionales, salud física y bienestar, felicidad, prosperidad). Un mundo exterior atascado indica que mi mundo interior también lo está.

Shakti es la Cara que transforma el mundo prestándole una profunda atención a lo interno. La mujer que usa esta Cara sabe que focalizarse en peleas y causas externas equivale a evadir la observación de sus propias adicciones, sus propias necesidades, su propio ser descuidado. Poner toda la atención en las injusticias del mundo es alimentarlas con el escaso poder que nos va quedando. Con Shakti experimentamos lo sutil, lo espiritual, ponemos a prueba los principios y leyes de la vida, y nos damos cuenta de que el mundo invisible de pensamientos y sentimientos es directamente responsable de las consecuencias que observamos en nuestro mundo exterior. Aprendo a confiar en mi intuición después de que la he perfeccionado con mi fuerza espiritual. Ante lo antagónico aprendo que no hay que pelear, sino más bien reforzar el conocimiento intuitivo. Comprendo que, cuando una fuerza opositora busca robarme el poder, es porque se siente amenazada. Entrar en una lucha sólo busca distraerme de mi lucidez, de mi foco; por eso aprendo a no dejarme engañar. Me afirmo en mi nueva identidad y accedo a mis poderes y cualidades internos sin desviarme de mi camino.

Shakti es poder

El simple ejercicio de cambiar nuestra identidad de "mujer" a la de Shakti hace que nos sintamos libres y poderosas. El desafío está en deshacerse de miles de años de condicionamiento que dicen que las mujeres somos:

- menos
- estúpidas
- impuras
- puertas de entrada al infierno
- sucias
- sirvientes de los hombres
- paridoras de niños
- objetos de lujuria
- posesiones, y así sucesivamente.

El desafío radica en dejar de creer en lo que el mundo me dice que soy, e intentar recordar quién soy en realidad. Tan sólo cambiar el foco de lo externo a lo interno da inicio al viaje de la trascendencia.

Ya no soy una mujer (una identidad física), sino una Shakti, la feminidad divina, un instrumento para la energía de Dios y su labor transformadora en el mundo.

Ya no soy una madre limitada. Me convierto en una Madre del Mundo, y comparto mi amor, tolerancia y poder de protección con toda la familia humana.

Comprender el sistema

Hablando en general, el mundo actual es un patriarcado, un sistema de dominación masculina en donde los que nacen hombres nacen con el derecho a dirigir. Es un sistema que ha sido reforzado generación tras generación por culturas de todo el mundo.

Así, todos quienes están dentro del sistema adoptan la lógica de dominación de un poder sobre otro. Las mujeres dominan a otras para recuperar el poder que les ha sido arrebatado y que se han repartido los hombres.

En el año 2005, antes de irme de Australia, escuché una charla de Mary Robinson, la primera mujer Presidenta de la historia de Irlanda. Es una persona maravillosa e inspiradora, que contó muchas historias magníficas sobre su vida durante y después de su período como mandataria. Su gobierno duró siete años, y le sucedió otra mujer, quien se encontraba en la mitad de su segundo período presidencial en 2005, cuando escuché esta historia. Mary nos contó que había conocido a una mujer con un hijo de once años. El chico le había dicho un día: "Mamá, ¿puede un chico alguna vez ser Presidente?". Solemos conocer la historia desde el otro bando: ¿Puede una chica alguna vez ser Presidenta? Pero esto me demuestra que nuestro sistema de conciencia humana ha generado dentro de sí este sistema de dominación basado en la diferencia y nacido de la inseguridad.

El sistema de dominación tiene que ver con la impotencia, con trabajar con cantidades limitadas de energía. Parte de una base subconsciente que determina que existe sólo una determinada cantidad de energía a nuestra disposición, y que por eso debemos quitarles el poder a otros, pues no sabemos dónde o cómo reabastecernos.

Cuando actuamos desde una identidad "de cuerpo", de hombre o de mujer, nos atamos al sistema de lo físico y a las leyes que se aplican al universo físico. Sin embargo, si logramos trascender ese sistema limitado de conciencia y encarnamos nuestra identidad original —aquella con una energía delicada, de virtudes, de poderes del espíritu—, tendremos acceso a una energía que está más allá de los límites de este sistema. A medida que modificamos nuestra identidad y nos vamos volviendo más seguras de nuestro sentido del ser, logramos desplazar los límites y remover las líneas fronterizas, viéndonos a nosotras y a los demás como seres llenos de posibilidad y de poder.

Si nos sentimos poderosas y seguras, no advertiremos ninguna amenaza, no nos pondremos a la defensiva. Entonces habrá paz. De hecho, hasta es posible que nos convirtamos en canales para infundirle divina energía Shakti al limitado sistema humano…, permitiendo así que tanto nosotras como los demás podamos regresar a la Cara Eterna.

El proceso de volverse Shakti

El proceso es a la vez simple y complejo, y es un proceso. Lo más sencillo es saber que se trata de un mero cambio de identidad. Lo difícil es mantener ese cambio de modo constante durante un período extenso.

Es SIMPLE porque soy alma, espíritu, luz, energía. Soy el poder que genera mi vida. Soy lo sutil, la causa, el objetivo, la creación. Soy amor, paz, verdad, belleza, divinidad.

Soy aquello que busco.

Vivo dentro de este cuerpo material y perecedero, pero con la fuente de la conciencia infundiéndole energía al cerebro y al cuerpo desde el palco del tercer ojo.

Es COMPLEJO porque seguimos enmarañadas en las limitaciones de la Tradición o la Modernidad; porque nos identificamos con lo físico y aceptamos resignadas un sistema de dominación, de juegos de poder y de luchas entre géneros, jerarquías, culturas, religiones, clanes, grupos y así. Sin embargo, una vez que reconocemos y comprendemos esto, cada una de nosotras puede optar en conciencia y reafirmar esa opción para obtener poder desde otra fuente.

El proceso de ser una Shakti pasa por tres etapas:

–el arte y la disciplina para recordar que yo soy aquello que busco. Yo soy un alma... todo lo que es sutil... belleza, amor y poder.

–la activa y plena relación participativa con lo divino, con Dios, la fuente que abastece del poder.

–ser receptiva a una guía orientadora, confiando en que soy instrumento para una transformación que me permitirá hacer algo por el mundo.

¿Y cómo funciona todo esto en la práctica? Es inevitable que haya un buen trecho entre decir "sí" y hacerlo. ¿Cómo acortarlo?

Luego de habernos dado cuenta y haber comprendido es que viene el aprender. En la teoría del aprendizaje existen cuatro pasos:

```
                                              Inconscientemente calificado
                                Conscientemente calificado
                    Conscientemente no calificado
    Inconscientemente no calificado
```

Inconscientemente no calificado es, por supuesto, aquella etapa en la que estamos dormidas, sin prestarle ninguna atención a cómo funciona la vida, ni a que debemos tomar decisiones, ni que tenemos pensamientos que van creando nuestra vida, ni que estamos al servicio de estímulos externos, y así.

Luego despertamos y nos volvemos *conscientemente no calificadas*; o sea, nos damos cuenta de algunas cosas, y reparamos en que somos ineptas, incapaces, y que no tenemos práctica, método ni poder. Es importante saber que este paso es una fase natural del proceso de aprendizaje, el cual nos ayuda a reconocer el hecho de que sí queremos aprender, cambiar y reunir más capacidades para llegar alguna vez a estar a cargo.

Por eso, aunque tomar conciencia a veces signifique sentirse fatal, resulta un paso fundamental. Luego de haber comenzado a meditar, recuerdo haber pensado que mis pensamientos eran más negativos, intranquilos y destructivas que antes, hasta que me di cuenta de que, antes de que meditara, no tenía ninguna conciencia de mi mundo interior.

Así que es normal sentirse un poco impresionada de lo que llegamos a ver cuando nos volvemos conscientes. Y es una buena motivación tomar las medidas necesarias para avanzar hacia el siguiente escalón. (También es importante recordar que éste no es un proceso que se realiza de un tirón, y que seguiremos descubriendo nuevos aspectos de nosotras mismas durante todo el trayecto.)

Entonces viene la fase *conscientemente calificada*. Ésta es la etapa en la que comenzamos a aprender, practicar y experimentar. Inténtalo y evalúa los resultados. Escucha, mira y siente; y luego haz tuya cualquier cosa que te llegue en la forma de conocimiento. Ve si te acomoda y, si calza, permítele ajustarse a tu esencia. A veces, el conocimiento llega antes de que sea el momento preciso. Si algo no te hace sentido, si no te resuena, déjalo de lado. Si lo necesitas, llegará en el momento justo. Y si es el momento preciso, intégralo.

Sé. Ésta es la última etapa. En una persona *inconscientemente calificada* te has convertido tú misma en el aprendizaje, y éste se ha convertido en ti. Ambos son uno. El conocimiento se vuelve tu experiencia, que pasa a ser tu autoridad. No necesitas un papel ni un título; tu autoridad es indiscutible, porque es poder, es verdad, es autenticidad.

En los siguientes capítulos revisaremos diversas herramientas, observaciones, prácticas y métodos que te permitirán seguir aprendiendo y siendo.

Comprender los aspectos de Shakti

Para simplificar un poco el rol de Shakti nos detendremos en tres áreas diferentes de la inteligencia:

Inteligencia Emocional: consciente del Ser y de los otros.
Inteligencia Espiritual: ¿quién soy?, ¿para qué estoy aquí?
Inteligencia Creativa: la ley de la manifestación.

La función transformadora de Shakti trabaja con la energía del '3':

- tres caras: Eterna, Tradicional y Moderna.
- tres inteligencias: emocional, espiritual y creativa.
- tres aspectos del tiempo: presente, pasado y futuro.
- tres energías de manifestación: soltar, soñar, hacer.
- tres energías de transformación: creación, sustento, destrucción.
- uso del tercer ojo para ver con claridad.

Shakti se vuelve la Alquimista, convirtiendo las sombras en luz y la aleación en oro.

Shakti desempeña un papel muy activo. Una función proactiva, que se nutre y fortalece en silencio…, allí donde el conocimiento se vuelve sabiduría y la sabiduría se vuelve experiencia.

¿Qué obtengo al adoptar esta Cara?

- seguridad
- libertad
- acceso a la verdad
- amor
- paz
- poder
- felicidad
- la pureza de mi propio ser

¿Cómo esta Cara modela mi autoestima?

Me lleva a mi propia fuente del ser, a mi centro de verdad y belleza. Es la cara que me devuelve la autoestima, el respeto y la confianza en mí misma.

¿Qué sacrifico al adoptar esta Cara?

- el apego al modo en el que suelen suceder las cosas
- los logros limitados
- la adicción o apego a un apoyo temporal
- el no asumir la responsabilidad de mí misma y de mi vida

¿Cuál es el costo de adoptar esta Cara?

Al principio, esta Cara puede costarme aceptación y paz, pues mis seres queridos se preguntarán qué me sucede y por qué estoy cambiando y alborotando su vida. Puede ser que ellos proyecten en mí sus insatisfacciones e inseguridades. Si no estoy al tanto de que algo así puede suceder, no tendré estrategias para saber cómo comportarme y apoyarlos durante el cambio. Al tener conciencia de su inquietud puedo usar los Ocho Poderes para mantenerme estable y, a través de la meditación, durante el día puedo enviarles energía positiva y estabilizadora a quienes quiero. Con el tiempo, quizás hasta me busquen para que los guíe, si es que ven mi satisfacción y mi éxito. Sentirán mi fortaleza y mi amor. Y si no intento "convertirlos", es muy probable que también quieran algo parecido.

¿Qué sánskars (hábitos de personalidad) desarrolla?

- independencia e interdependencia puras
- el no juzgar
- cooperación
- tolerancia
- amor
- misericordia
- asertividad
- claridad
- discernimiento
- decisión
- creatividad
- receptividad
- intuición
- determinación
- foco
- confianza
- gozo o disfrute
- aprecio
- quietud
- sabiduría
- generosidad
- precisión
- respeto
- integridad
- autenticidad
- pureza
- responsabilidad
- humildad

¿Cómo la Cara Shakti me apoya y me limita?

Me apoya al devolverme a mi Forma Original, a mi Ser Eterno, aquellas delicadas características que busco en cada acción que realizo cada día de mi vida.

Me limita en que lo común y mundano ya no me satisface. A medida que siento cómo el poder de Shakti me llama hacia mi destino, cambia el modo en el que invierto mi tiempo. Una vez que uno despierta, es muy difícil volver a dormirse; y si me sumerjo en lo pedestre y resisto el llamado tendré que acallar mi voz interna, negando mi propia verdad. Al final tendré que asumir las consecuencias de no prestarle atención a mi propio conocimiento.

¿Qué sentimientos genera?

- fuerza
- compasión
- fe
- certeza
- soltura

¿Cuáles son sus fortalezas?

- solidez
- resolución
- visión
- sabiduría
- aceptación
- amor

¿Cuáles son sus debilidades?

Ninguna. En el viaje de regreso a mí misma es obvio que tendré mis tropiezos, pero no son atribuibles a Shakti sino más bien a que he vuelto a olvidarme y a resbalar hacia la Cara Tradicional o Moderna.

¿Cuáles son sus motivaciones principales?

No es impulsiva ni impositiva. Cuando uso esta Cara para retornar a la casa del Ser, lo que me inspira es mi propia verdad, mi propio destino, así como contribuir a la Humanidad, y encontrar mi propósito existencial aquí y ahora.

¿Cuáles son sus principales desafíos?

- no regresar a viejos esquemas como reacción inconsciente ante las circunstancias.
- equilibrar todos los poderes y no volverse dependiente sólo de algunos.
- equilibrar el tiempo que le dedico al ser y a los demás.
- no confundir los pensamientos y comportamientos de la vieja Cara Moderna con Shakti (para ello se requiere de una enorme honestidad con el propio ser y una comprensión muy sutil que nace de la reflexión y la quietud).
- dejarse un tiempo durante el día para alimentar el silencio interior.
- nutrirse de la Fuente y no de la gente ni de las cosas, las actividades, los cargos, los logros, el consumo, etc.

¿Cómo administrar el cambio cuando se usa esta Cara?

Adoptando el cambio y permitiéndole que fluya dentro de mí, sabiendo que se trata de una prueba de mi avance.

¿Cuál es la capacidad de liderazgo de quien adopta la Cara Shakti?

Ésta es la Cara del líder transformacional, el tipo de líder que el mundo de hoy necesita: lo suficientemente atrevido para confiar en el mundo invisible de las virtudes, los poderes y el conocimiento interior; capaz de ubicarse sin un mapa, con la sola guía de un compás interno, la intuición y los signos del universo; el que defiende los principios y la libertad cuando los demás actúan desde el miedo; el que tiene la absoluta certeza de que el amor es *el* poder transformacional más importante que existe, que la humildad es fortaleza y la arrogancia es debilidad; que un intelecto divino es un intelecto por completo práctico, que una mente quieta es puro recurso creativo… Ése es el tipo de liderazgo necesario para hacer surgir un mundo que sea sustentable. Es un liderazgo que puede suceder, sucede y sucederá en todos las esferas de la sociedad.

¿Cómo esta Cara se relaciona con el poder?

Esta Cara es poder y, como tal, no necesita quitar el poder a otros. Al usar esta Cara cedo poder, pues estoy en conexión con la Fuente Suprema. Al dar poder, no lo pierdo: lo refresco y regenero.

¿Cuál es su orientación temporal?

Ésta es la Cara que cruza los tres aspectos del tiempo. Al usarla soy capaz de vivir plenamente en el presente y disfrutar de los beneficios de "ser". Tengo conciencia de dónde vengo y adónde voy. Aprendo del pasado para que el presente sea lo mejor posible, y comprendo que mis acciones de hoy tendrán consecuencias mañana. Trabajo con el futuro y genero para mí y mi mundo una visión pura, una lucidez que me sostiene, alejándome de la atracción magnética de esquemas pasados. Inspira mi pensamiento, mis elecciones y mis actos del hoy.

Al final, cuando haya practicado lo suficiente el uso de esta Cara, me habré vuelto de nuevo mi Ser Eterno. Entonces viviré de una manera natural, sin consciencia del "ahora". Mis pensamientos y acciones se fundirán como una unidad. Seré la encarnación de la receptividad, de la acción correcta…, la manifestación del pensamiento puesto en acción, de acuerdo a un proceso limpio, claro y natural. Durante el trayecto experimentaré momentos, días y semanas en este estado, hasta que las Caras de la supervivencia me secuestren. Entonces el juego será retornar al estado más alto sin quejas ni aflicción por esa pérdida temporal.

¿Cómo se relaciona con la emoción?

Si definimos la emoción como reacciones energéticas a aquellos estímulos externos a los que estamos atadas, entonces esta Cara está más allá de la emoción, porque está más allá de la reacción y del apego. El ámbito de la mujer que use esta Cara será el de los sentimientos puros.

¿Cuál es su principal adicción?

Quien use esta Cara puede volverse adicto a la transformación. El propósito de la transformación es llegar a ser, no la transformación eterna. La adicción puede ser un continuo movimiento, análisis y cambio, sin nunca detenerse para sólo ser y disfrutar el ser.

¿Cómo se relaciona con Dios esta Cara?

Cuando se usa esta Cara, la relación con Dios es de compañerismo. Se comprende que Dios es poderoso y asombroso y magnífico porque jamás olvida. Mientras más invierto tiempo en conectarme con Dios, con esa fuente de energía y belleza pura, más me convenzo de que es también ésa mi naturaleza intrínseca. Mi relación con Dios es entonces la de quien es enseñado, guiado y amado para llegar a ser su igual.

También me doy cuenta de que en esa conexión no hay dependencia, deuda ni dolor. En cuanto Fuente, puedo experimentar todas las relaciones tal como ella: la energía única de una madre, un amigo, un maestro, un amante, un compañero, un padre, confortador de mi corazón, y así. Esta conexión puede satisfacer todo lo que mi alma necesita, lo cual significa que puedo limpiar mi energía y purificar mi ser, permitiéndome entablar relaciones con los demás de un modo que no será ni dependiente ni necesitado ni acaparador.

En Shakti, mi relación con Dios es inteligente y sensible. Sé que Dios es un ser de luz siempre benevolente. Sólo cuando caigo en pensamientos o acciones de energía o frecuencia más bajas es que me desconecto de esa Fuente. De otro modo, el flujo de energía pura, de bendiciones continuas, de poderosa lucidez, será constante y estará a mi total disposición. Y ésta es la recompensa más exquisita por haber emprendido este viaje.

Crecí en una época en que la inteligencia se medía por el CI, el Coeficiente Intelectual. Con el tiempo hemos aprendido que el CI mide una porción muy pequeña de la capacidad neurológica; básicamente, la capacidad de usar con eficacia el hemisferio izquierdo del cerebro: el lógico, lineal, verbal y matemático. Las investigaciones demuestran que delinear las capacidades de aprendizaje y conocimiento es algo más complejo que sólo partir el cerebro por la mitad y hablar de los hemisferios "derecho" e "izquierdo", por mucho que eso facilite una explicación.

Hemisferio izquierdo	Hemisferio derecho
Lógico	Creativo
Necesita una estructura	Se ajusta al caos
Procesamiento lineal	Intuitivo
Secuencial	Procesamiento holístico
Matemático	Aleatorio
Literal	Simbólico
Concreto	Reconoce modelos
	Visionario

Incluso con la revisión aquí bosquejada queda en evidencia que el CI se refiere a una perspectiva bastante estrecha de la inteligencia.

Cuando estuve en Canela, en el sur de Brasil, en uno de los talleres de las Cuatro Caras, una mujer dijo que una de las razones por las que estaba allí era porque quería aumentar su memoria a través de la meditación. Cuando le pregunté un poco más, me dijo que ella siempre se sentía estúpida, que no era tan inteligente como los demás, y que había escuchado que la meditación puede mejorar la capacidad cerebral, en específico la memoria y el trabajo con números. Un poco más de indagación y resultó que la mujer es una talentosa artista, madre inspirada, brillante diseñadora de vestuario, narradora, entrenadora deportiva y más. Le dije que sí, que la meditación puede en definitiva mejorar la memoria y ayudarnos a acceder a una capacidad mayor de nuestro cerebro. Y, sobre todo, que esperaba poder ayudarla a entender que lo que ella quería desarrollar era sólo un tipo de inteligencia, no *la* inteligencia. Porque hay muchos tipos de inteligencia, pero la mayoría de los sistemas educacionales en el mundo educan el hemisferio masculino, el "izquierdo", y luego miden la aptitud de cada uno en esa área, y a eso lo llaman inteligencia. Es, de hecho, una visión muy limitada y limitante de la inteligencia.

Un hombre llamado Howard Gardner codificó nueve tipos de inteligencia, argumentando que para una educación plena y equilibrada, capaz de prepararnos para la vida, necesitamos desarrollar las nueve. Son:

1. Lógica-matemática
2. Lingüística
3. Musical
4. Visual-espacial
5. Sinestésica
6. Interpersonal
7. Intrapersonal
8. Naturalista
9. Existencial

Es cierto que ayuda ser inteligente en términos de CI porque, por mucho que los tiempos hayan cambiado, sobre él se construye nuestro mundo externo.

A fines de los años noventa, Daniel Goleman presentó una obra titulada *Inteligencia emocional*. Desde entonces han aparecido los planteamientos de Dana Zohar sobre Inteligencia Espiritual, así como la Resiliencia (o Inteligencia contra la Adversidad), la Inteligencia Creativa y la Inteligencia Divina. Y en Chile hace poco vi un artículo sobre un libro que está por publicarse en torno a la Inteligencia Maternal. No hay duda de que vendrán más. Y aunque pueda parecer un poco aburrido y falto de imaginación repetir la palabra inteligencia como un código, me parece que en la psiquis humana existe en la actualidad una necesidad natural por que se reconozca el valor y la validez de diferentes maneras en que se nos puede considerar inteligentes. Sobre todo entre las mujeres.

Como durante milenios lo masculino ha dominado la calificación y codificación del mundo externo, y como hemos vivido en un mundo externo dominado por la energía masculina, parece razonable que también la inteligencia principal, la educación básica, se haya orientado hacia la esfera de lo masculino: el hemisferio izquierdo.

Por regla general –aunque no absoluta–, las mujeres hemos desarrollado mejor la inteligencia femenina. A no ser que poseamos una fuerte energía masculina y/o hayamos subyugado lo femenino que hay en nuestro interior, nos ha resultado complejo tener éxito en el mundo de los negocios y el gobierno. Incluso en el área educativa, y aunque las mujeres constituyen la mayoría del profesorado, los programas de estudios se han redactado más bien desde lo masculino –a excepción de los de las educadoras de prebásica–, si bien su explicación se ha orientado según la energía femenina. En algunos lugares del mundo, como Hong Kong, hay niños de apenas dos años a los que se les entrena en inteligencias lineales y limitadas para asegurar su éxito en el futuro. Desgraciadamente, esta "instrucción" daña la totalidad del alma; las inteligencias emocional, espiritual y creativa quedan relegadas a una tierra de nadie.

Pese a ello, la codificación y medición de nuevas inteligencias ha hecho evidente que hoy se busca equilibrar las energías masculina y femenina dentro de cada individuo y de nuestro mundo. Es una buena noticia. De hecho, ése es el núcleo de la evolución espiritual que hoy se desarrolla.

En la mitología oriental hindú existe un símbolo para el balance perfecto de lo femenino y masculino en cada individuo. Se llama Vishnú, la imagen de cuatro brazos que representa la energía de lo sustentable. Carl Jung habló del *anima* y el *animus* dentro de cada uno, y en la tradición china están el yin y el yang. En el budismo está el Buda y su forma femenina, Kuan Yin. Las mitologías romana y griega tienen arquetipos tanto femeninos como masculinos; dioses y diosas que simbolizan el equilibrio dentro de los seres humanos.

Cuando hablamos de Shakti podemos hacer referencia a Shiv-Shakti, que es la forma combinada de Shiva y Shakti, la divinidad masculina y la divinidad femenina, respectivamente.

Las nuevas inteligencias buscan regresar a estos equilibrios arquetípicos para encarnar dentro de nosotros las energías puras tanto de lo femenino como de lo masculino. Un balance así no puede existir en el mundo si no existe primero en nuestro interior. Seguiremos desempeñando el rol de hombres y de mujeres, pero desde una totalidad, una plenitud, que nos hará sentir seguras y poderosas, y nos permitirá despojarnos del miedo para llegar a ser más generosas, más cariñosas, más confiadas, más compasivas y creativas.

En las siguientes páginas hablaré de cómo se relacionan las inteligencias emocional, espiritual y creativa con nuestro trayecto espiritual dentro del contexto de las Cuatro Caras.

Inteligencia Emocional

La Inteligencia Emocional ha sido clasificada de muy diversas maneras; la más popular de ellas es la que elaboró Daniel Goleman en su libro del mismo nombre, *Inteligencia emocional*. El trabajo de Goleman se orienta sobre todo al campo del desarrollo ejecutivo y de liderazgo, y gran parte de su investigación junto al Hay Group destaca que, en el mercado actual, el coeficiente emocional (CE) es lo que hace la diferencia en un líder. Según Goleman, el CI puede conseguirte un trabajo, pero será el CE lo que te dé un ascenso. Su investigación demuestra una fortaleza significativa del Coeficiente Emocional sobre:

- razonamiento analítico (aumenta en un 50 %)
- capacidad de autogestión (aumenta en un 78 %)
- habilidades sociales (aumentan en un 110 %)
- habilidades sociales + capacidad de autogestión (aumentan en un 390 %)

Aunque este libro no está en absoluto enfocado a los negocios, dinámica laboral ni finanzas, sí se centra en los muy reales y tangibles resultados que producen las herramientas de las Cuatro Caras. Las estadísticas precedentes ejemplifican cómo el trabajo con capacidades internas está siendo cada vez más valorado y reconocido, incluso en el último bastión de dominio del hemisferio cerebral izquierdo, el de los negocios.

Así es que, para quienes no estén familiarizados con el CE, recordemos que existen cuatro áreas. He adaptado las siguientes de Goleman y asociados:

toma de conciencia

- conocer nuestras emociones.
- conocer nuestras pautas de comportamiento (positivas y destructivas)

autogestión

- lograr un cierto desapego de los antiguos esquemas
- manejar las propias emociones
- ser auténtico sobre quién se es hoy
- motivarse uno mismo

conciencia social

- reconocer los sentimientos de los demás
- hacer un aporte
- estar consciente de los sistemas en los que existimos

manejo de relaciones

- comprender y manejar la dinámica de relación con los demás
- identificar y comunicar nuestras necesidades y expectativas ante una relación
- apoyar e inspirar a los demás
- administrar la transformación en las relaciones

Inteligencia Espiritual

Todo este libro está dedicado al desarrollo de la Inteligencia Espiritual (CES), que también se trata de estar atento a uno mismo, pero a diferencia de la Inteligencia Emocional, con una atención capaz de ir más allá del manejo superficial de la vida diaria. La Inteligencia Espiritual propone que en la vida de cada uno existe un significado mayor, un contexto mayor y un propósito mayor, relacionados con nuestra propia divinidad, la divinidad de los demás y la Fuente de Divinidad.

La Inteligencia Espiritual busca que vuelvan a emerger y se revitalicen las cualidades originales y las virtudes del alma (ver Cara Eterna), así como los poderes de Shakti. El CES formula las preguntas profundas de la vida:

- ¿quién soy?
- ¿por qué estoy aquí?
- ¿quién o qué es Dios realmente?
- ¿adónde pertenezco?

A diferencia de la Inteligencia Creativa, que establece que debo ser mejor, la Inteligencia Espiritual dice que sólo debo ser yo misma. Trabaja sobre una base inherente a cada uno, una suerte de maqueta del ser que es pura y perfecta; y nos asegura que sí podemos aprender las artes de:

- la introspección
- la quietud
- la invocación de las innatas cualidades puras de nuestro interior
- la conexión silenciosa y profunda con la Fuente Suprema, que nos recuerda que hemos sido creados a su semejanza

Después de aprender todo esto seremos capaces de regresar a la plenitud de nuestro ser propio y único. Así podremos contribuir incluso más que lo que hubiésemos logrado de mantenernos en las tareas cotidianas o incluso desarrollar una conducta ejemplar. En este estado cargamos dentro la energía del "paraíso", y sólo por estar en ese estado comenzamos a invocar los mismos recuerdos en aquellos con quienes estamos conectados.

Inteligencia Creativa

El estado natural del alma humana es de una expresión creativa única. Cuando nos desconectamos de nuestra seguridad eterna y comenzamos a depender de los demás para sentirnos seguros, ponemos en riesgo esa capacidad innata.

Sally era profesora. Me contó que cada vez que le preguntaba a un grupo de niños de cinco años quién podía cantar, todos levantaban la mano y gritaban: "¡¡Yo!!". "¿Y quién puede bailar?". De nuevo: "¡¡Yo!!". Cuando pregunto lo mismo en los talleres, conferencias y seminarios que dirijo, tengo suerte si responde un uno por ciento de la sala.

La Inteligencia Creativa no tiene que ver con ser un aclamado artista sino con vivir la vida como un arte. Se trata de expresar nuestra singularidad, con el gozo que nace de no tener restricciones externas. Hoy se nos recomienda ser "adecuados". Mi pregunta es: ¿adecuados según el criterio de quién?

Por lo general gastamos una cantidad desmesurada de energía pensante en divagar cómo las cosas resultarán o no resultarán. Encogemos nuestro mundo por inseguridad y miedo, y así olvidamos el arte de vivir. Cuando somos espontáneos no pensamos tanto.

La Inteligencia Creativa nos reconecta con ese arte perdido. Busca predecir nuestro futuro, en armonía con nuestra más preciosa esencia. Tiene que ver con comprender la ley de la manifestación, las dimensiones y energías de la transformación, y luego usar los Ocho Poderes para despejar el camino y dejarnos llevar por el río de novedades que fluye hacia el océano de la vida.

Herramientas y prácticas

Estos diversos tipos de inteligencia comparten herramientas similares. Cuando a través de la práctica vamos alcanzando etapas, las herramientas se transforman y convierten en algo más parecido a poderes, armas, magia. Es lo mismo que con un chef, un tenista o un escritor. Todos tenemos los mismos componentes para jugar, utilizar y ejercer autoridad. Sin embargo, es nuestra capacidad, nuestra experiencia, nuestra práctica, nuestra energía lo que crea funcionalidad, arte o alquimia.

La respiración

En jornadas y una vida ocupadas tendemos a funcionar entre aluviones emocionales sin darles resolución ni liberar la energía. Esta "energía en movimiento" queda atrapada en nuestros cuerpos físico y energético. Con el tiempo podemos sentir dolor, cansancio, agotamiento incluso. Prestarle atención a nuestra respiración y optar en conciencia por respirar más profundamente es una enorme ayuda para liberar la tensión emocional acumulada.

El ejercicio

El ejercicio es algo que considero sumamente difícil de incorporar a una rutina normal. Pese a ello, cuando siento que tengo emoción acumulada que no logro liberar a través de la simple reflexión o comprensión, me propongo emprender caminatas enérgicas, bailar o cualquier cosa que implique actividad física. Sé que esta energía guardada puede acumularse y causar una explosión o implosión si no encuentro el modo de liberarla.

Las emociones

Solemos contar con una selección algo limitada de emociones entre las cuales elegir. En este mundo posindustrial donde no se nos está permitido "sentir", muchas de ellas se adormecen. Recuerdo que hace muchos años, cuando estudiaba en la universidad, fui a ver a la orientadora. Tengo un vívido recuerdo de haberme sentado en uno de esos asientos en forma de pera, de vinilo verde, y haberle contado que estaba asustada, que ya no sabía lo que sentía. Ella era una persona amable pero fue incapaz de ayudarme. Hasta que no podemos identificar con precisión nuestras emociones, no estamos de verdad capacitados para liberarnos por completo de ellas. Cuando uno no está segura de cómo se siente, debe hacerse la pregunta: ¿estoy triste, enojada, asustada o contenta?, y desde ahí ir afinando el sentimiento. De otro modo, algo que es molesto puede volverse irritante. Algo peligroso se malinterpretará como casi aterrorizante. Algo gozoso se menospreciará como simplemente "bueno". Una vez que ya sabemos lo que nos pasa, podemos reparar el daño o acoger una maravilla.

Las siguientes preguntas son una estupenda manera de estructurar los sentimientos y pensamientos para tener más claridad y perspectiva de un modo que nos ayude a tomar decisiones que nos permitan avanzar.

¿Cómo me siento?	¿Qué gatilló el cómo me siento?	¿Cómo me gustaría sentirme?	Medidas sencillas que necesito adoptar en las próximas 24 horas	Fortalezas que sé que poseo y que me ayudarán a recobrar mi dignidad

La meditación

El acto de tomar distancia del caos de nuestras responsabilidades, cargos, relaciones, actividades y sentimientos nos proporciona espacio y perspectiva.

La meditación en el ámbito de la Inteligencia Emocional nos ayuda a reconocer que las emociones no son "yo", sino energías que se han puesto en marcha, gatilladas más que nada por reacciones inconscientes ante estímulos externos. La meditación nos da un espacio de silencio que nos permite reconocer esa diferencia y abandonar la creencia inconsciente de que "yo soy mis emociones, de modo que no hay nada que hacer".

La meditación en el ámbito de la Inteligencia Espiritual nos reconecta con nuestras cualidades/virtudes originales. Estarse quieta y aprender a descansar sobre el centro de nuestro ser es la práctica para un vivir verdadero, libre de preocupaciones, distracciones y miedo.

La meditación también desarrolla los poderes de Shakti. Reaviva el sentido de nuestra eternidad, de nuestra inmortalidad, y la distinción de la materia, del cuerpo. Esto nos brinda una enorme sensación de seguridad. Vuelve a fraguar la innegable relación entre el Alma y el Alma Suprema. Esta relación es dulce, potenciadora y nutritiva, cariñosa y clarificadora. Es como si permitiéramos la construcción energética de algo que fuera a la vez una plataforma y una columna vertebral para el alma.

La meditación en el ámbito de la Inteligencia Creativa es esencial para perfeccionar y armonizar los poderes creativos de la mente y el intelecto, y así focalizar toda nuestra energía en la manifestación.

Visualización, podemos usar la zona más sutil del ser para invocar en el mundo material la magia de nuestro propio soñar.

Estar presente
Estar en el "ahora" es una práctica. La práctica budista de la conciencia plena ayuda muchísimo a estar presente, "consciente", o cuidadosamente atenta y enfocada. En cada momento, cada tarea, con cada individuo. Es lo que el hinduísmo llama Karma Yoga: estar presente. En conexión con el momento. Escuchando profundamente y sin restricciones el ahora.

Inteligencia Emocional: cuando no las tienes presente, las situaciones, reacciones y emociones te regulan. Cuando, en cambio, te mantienes presente en el ahora, atenta a tus sentimientos y reacciones, asumiéndolos como *tuyos* (y no como el error de otro), entonces ya no te determinan tanto. Antes de actuar, nombra los sentimientos, escríbelos, dibújalos, corre, camina, háblate a ti misma. Dentro de lo posible, no actúes de acuerdo a tus sentimientos hasta que hayas podido entenderlos. Tampoco los reprimas. Estar presentes nos permite aguantar los sentimientos para no reprimirlos, pero sin que "seamos" esos sentimientos.

Así también podremos decir que nos sentimos enojadas, decepcionadas, un poco asustadas, molestas, heridas, traicionadas y así. Es un mejor lugar desde el cual comenzar una relación que el de "eres un…". Más que adjudicar culpas, es asumir la responsabilidad por cómo nos sentimos. Al hacernos responsables, avanzamos hacia una posición de poder. Al adjudicar culpas, pasamos a ser víctimas, pues nos creemos incapaces de influir en la situación.

Inteligencia Espiritual: sólo en el ahora podemos conectarnos con nuestro propio ser verdadero. La mayor parte del tiempo estamos focalizadas en el futuro o el pasado, ocupadas en la actividad inconsciente de sesenta mil pensamientos. Estar presente es estar en la quietud del ahora.

En esa quietud nos encontramos a nosotras mismas, nuestra

verdad, nuestro propósito, nuestro significado y nuestro camino.

En esa quietud podemos oír cómo la voz de lo divino nos susurra sus consejos.

En esa quietud vemos lo mágico más allá de lo mundano. Tenemos acceso a todos los poderes y virtudes.

En esa quietud no hay temor sino seguridad.

En esa quietud nuestra intuición está por completo viva y clara.

En esa quietud están tú y Dios.

Desde esa quietud te conviertes en la creadora de tu mundo.

Inteligencia Creativa: al estar presentes nos aseguramos que el ego quede fuera del proceso de manifestación. Eso significa ser capaz de ver, oír, sentir, saborear y oler los delicados signos que emergen del montaje de la vida. Es "siendo" que uno se convierte en la Bordadora Mayor, atenta a todos los hilos de la creación: tomándolos, aceitando el telar, girando la rueda, esperando con paciencia que el tejer y el tejido se fundan formando poco a poco el diseño.

Sólo en el ahora, sin pensamientos de más, es posible el oficio divino.

El observador desapegado

Imagínate en un balcón, o en un helicóptero, por encima de todo, retirada. Es una buena práctica resaltar la capacidad de observarse con precisión. Nos ayuda a vernos en relación con los demás, y a ver nuestra dinámica con otro o con un grupo, lo cual siempre facilita el diálogo y distingue las energías conflictivas o atascadas, para aclararnos dónde está la obstrucción, en una misma, en una relación o en un grupo.

En cualquier fase que trabajemos, éste es un estado clave para las inteligencias emocional, espiritual y creativa.

Inteligencia Emocional: mientras más nos involucramos en la lucha contra algo, menos poder tenemos sobre ese algo. Nos dejamos absorber por la lucha, y nuestra perspectiva y percepciones se reducen a la órbita del adversario. Como ya citamos: "No puedes solucionar un problema desde la misma esfera de pensamiento que lo originó". Si nos dejamos absorber por el "problema", nos hemos rebajado a su mismo nivel. Estamos perdidos.

Para administrar nuestro mundo interior y nuestras reacciones emocionales, sean volátiles o pasivo-agresivas, resulta crucial tomar distancia de ellas. No negarlas ni eliminarlas, pero no ser absorbidas ni poseídas por ellas. No dejar que nos controlen.

Inteligencia Espiritual: así también, tomar distancia de las funciones que desempeñamos –no identificarnos como la maestra, la madre, la ejecutiva, la estrella o cualquier cosa que no nos sea intrínseca–, nos otorga una mayor capacidad para conectarnos con nuestro verdadero ser.

Apenas nos identificamos con un rol y éste se ve de algún modo amenazado, nuestro comportamiento pasa a estar dominado por el instinto de supervivencia, y todo se mueve de acuerdo a él. Por supuesto, en realidad continuamos absorbidas por nuestras funciones hasta mucho después de que ya no somos ejecutivas, o de que los niños han crecido, o de que nuestro novio se fue, o de que la juventud dio paso a la madurez.

Si no logramos desapegarnos de estos roles, ellos nos controlarán y perderemos nuestra espiritualidad, nuestra seguridad y a nosotras mismas, así como cualquier conexión con el sentido de una vida significativa y con propósito. Volveremos al miedo y la competencia y la inseguridad. El Observador Desapegado –el primer poder de Shakti– nos permite darnos cuenta, primero en conciencia y luego intuitivamente, qué virtud o poder se necesita en cualquier situación dada para rearmonizarnos a nosotras y al sistema. El Observador Desapegado (el testigo o conciencia del alma) es la herramienta más profunda de transformación.

Inteligencia Creativa: el Observador Desapegado nos permite reconocer las señales, las coincidencias, las pautas creativas que emergen durante el proceso de manifestación. Al tomar distancia del resultado dejamos que la mano de lo Divino fluya hacia lo intrínseco de la manifestación. Esto nos asegura longevidad, sustentabilidad, belleza, desarrollo espontáneo y evolución, porque no hemos encerrado la creación dentro de los límites de nuestra propia y limitada imaginación. El Observador Desapegado percibe vastas redes de movimiento interconectadas, las cuales nos permiten desempeñar nuestra función con gracia, comprometernos a una contribución gozosa, y disfrutar los resultados sin la ansiedad o angustia que nacen del apego.

Espejos

Lo que sea que gatille una emoción en mí es sólo un espejo de algo que yo no veo. Sólo cuando comenzamos a ver eso que el espejo refleja es que comenzamos el viaje que nos liberará de la reacción emocional.

Aunque nunca es tan simple como podría parecer. Hay veces en que se trata de algo directo; por ejemplo, cuando te enojas porque alguien llega siempre tarde. Quizás tú también sueles atrasarte, pero en el fondo el enfado hace que no te sientas respetada. ¿Cuándo dejas tú de respetar los valores o el tiempo de los demás?

En una ocasión –más bien, durante una relación–, me tomó cinco años poder verme con claridad en el espejo. Cada vez que lo miraba me iba acercando más: esta persona es irresponsable, ¿cuándo soy yo irresponsable? No asume compromisos, ¿no será que estoy celosa porque a mí también me gustaría ser así de libre? Éstas y otras preguntas me ayudaron a ver aspectos de mí misma y a emprender algunos cambios valiosos; aunque, así y todo, seguía enganchada con esta persona. Al fin pude comprender: se trataba de un "punto ciego", de algo que yo no podía ver en absoluto. Ni siquiera cuando otros tuvieron la valentía de decírmelo pude yo notar algo dañino ni destructivo. Y no me liberé hasta que estuve lista y al fin pude observar la situación sin ponerme a la defensiva; entonces me di cuenta de que ahí había un rasgo mío que necesitaba cierta disciplina. Al sentirme controlada y zarandeada por la falta de compromiso y volubilidad de esta persona, jamás se me ocurrió que mi permanente "interés por la novedad" era en realidad lo mismo que su falta de compromiso y volubilidad, y que alteraba de la misma manera a aquellos cercanos a mi vida y mi liderazgo. Ahora soy un poco más cauta y, espero, más atenta al impacto que puedo causar sobre los demás.

Inteligencia Emocional: en este ámbito el uso de espejos como herramientas es inapreciable. Nos ayudan a reparar en que no sacamos nada con repartir culpas, pues eso sólo nos convierte en víctimas impotentes. El espejo implica asumir la responsabilidad de nuestro mundo interior. Al hacerlo nos damos cuenta de que el mundo externo (circunstancias, relaciones) también cambia.

Inteligencia Espiritual: en la inteligencia espiritual confiamos en la herramienta de los espejos para ver con mayor claridad. El recorrido espiritual está relacionado con el regreso a la belleza, y es muy útil ser capaces de ver cada mancha sobre el vidrio de nuestra propia pureza.

112

Uno puede ocuparse en limpiar y sacar brillo al diamante del ser. En el mejor de los casos, si nos sentimos atraídos o impresionados por alguien, el espejo es también una herramienta óptima para ver a qué cosa que no tenemos dentro le estamos otorgando valor. Cualquier cosa reflejada en el espejo de otro es algo que no reconocemos en nosotras mismas. Se trata de un maravilloso desarticulador de celos y envidia. Si admiro en otro algo que pudiera acercarme al camino diabólico de la envidia, debo admitir que acabo de recibir un regalo…, el regalo de ver esas cualidades en mí misma. Entonces comienza el trabajo de invertir energía, atención y poder para hacerlos salir de las sombras.

Así, los espejos son siempre un regalo en el ámbito de la Inteligencia Espiritual.

Inteligencia Creativa: si reaccionamos impulsivamente o nos dejamos llevar por las cualidades o defectos de otro, nos distraemos del flujo de manifestación de nuestras propias vidas. Mírate rápidamente en el espejo, límpialo, distingue tu reacción, detente, hazte presente y permite que el río de la vida siga fluyendo. El espejo nos ayuda a mantener la atención. Así, el poder creativo de nuestros pensamientos se concentrará en nuestra creación más que en la reacción del recorrido de alguien más. Es una herramienta poderosa y crucial para la dimensión de la Inteligencia Creativa.

Los Ocho Poderes

Estos poderes pueden usarse para todo lo que tenga que ver con lo útil, solidario, transformacional, empoderador, alquímico. Luego de cada introducción se incluye el análisis profundo de cada uno de los poderes.

Inteligencia Emocional: todos los poderes ayudan en el manejo de la autogestión y las relaciones con los demás. Ordenan y estructuran el invisible mundo interior, permitiéndonos ver con claridad diversas posibilidades con las que responder a nuestro mundo emocional. Por ejemplo, yo adoro el poder de Tolerar y el poder de Aceptar, pues son medios que me permiten vivir con las emociones sin tener que reprimirlas ni evadirlas. Una vez que Acepto, el poder de Discernir puede identificar de qué emoción se trata, o incluso qué la gatilló. Si hay alguien más involucrado en la situación, comprender la acción de los espejos y la proyección es también una herramienta estupenda. Una vez que hayas discernido, decide qué hacer.

También el poder de Afrontar es muy útil. Nos permite avanzar confrontando a los demonios internos, permitiéndonos cooperar con nuestras propias decisiones y con la ayuda que de seguro nos irá llegando durante el montaje de la vida.

Inteligencia Espiritual: estos poderes se convierten en las armas de Shakti a medida que atravesamos el abismo entre ilusión y verdad. Son las armas que blandimos para salirnos de las fases de supervivencia o ilusión, las Caras Tradicional y Moderna. Shakti usa estos poderes para proteger la inocencia de su ser descubierto, la Cara Eterna. A medida que vamos encendiendo estos poderes en el crisol del silencio, se nos revelan como energías invisibles a nuestra disposición para resolver, desenterrar, redirigir, emerger, desenvolver, determinar, liberar, experimentar.

En el ámbito de la Inteligencia Espiritual, los Ocho Poderes de Shakti te proveerán de la fortaleza sobre la cual levantar el laboratorio de tu búsqueda espiritual: tu viaje de regreso a ti misma y tus virtudes, tu belleza innata.

Inteligencia Creativa: la manifestación es una ley natural, un modo de desplazarse en la vida desde un espontáneo estado de pensamiento a la acción. La pérdida de la verdadera identidad dio a luz las Caras de supervivencia basadas en el miedo, impidiendo la circulación espontánea del proceso creativo. Cuando Shakti se une con lo Divino como Shiv-Shakti, podemos encender la función purificadora de estos poderes para despejar del alma los esquemas de miedo e inseguridad que desvían o socavan nuestra creatividad. A medida que avanzamos hacia la luz y la armonía de nuestro Paraíso personal, le exigimos a Dios estos poderes como un derecho.

Los Ocho Poderes de Shakti

No importa en qué lugar vital nos encontremos, el rol de la Shakti es de liderazgo. Si trabajas en la caja de un supermercado, con tu actitud, poderes y virtudes puedes ejercer una influencia sobre la vida de miles de personas. A través de tu interacción con ellas, de la energía que les transmitas, de tu modo de mirarlas, puedes transformar sus días, sus relaciones y sus vidas.

Lo mismo sucede si eres madre, profesora, estudiante, gerenta, científica, gurú televisiva, la presidenta de un país o de una organización…, tienes el poder para guiar a las personas más allá de la limitada experiencia que de alguna manera hemos convenido que es la correcta.

Trabajar con los poderes

Hay cinco maneras de reforzar estos poderes en tu vida. La primera es simplemente saber que los tienes y que constituyen tu derecho de nacimiento.

La segunda es contemplarlos. Piensa profundamente en ellos y lo que significan, y en qué pueden aportar a tu vida. Comprende los matices de cada uno y cómo pueden ayudarte a ver de un modo nuevo tu vida y tus circunstancias, y permitir que en tu mundo haya más armonía y magia.

La tercera es que los uses. Como todo, mientras más los uses más irán adquiriendo una forma artística poderosa, capaz de transformar el mundo. Es sin embargo importante practicar en situaciones que no requieran de mucho dominio. No tiene sentido ensayar por primera vez el poder de Tolerar justo cuando llega de visita por un mes tu madre, con la que siempre has tenido una relación difícil. Practica la tolerancia en medio de la tensión del tráfico o cuando tu pareja está haciendo aquello que tiende a volverte loca, o cuando los niños no quieren comer.

El cuarto método es encenderlos en el fuego de la meditación. El solo hecho de volverte hacia tu interior, conectándote con tu propia fuente interna de fortaleza, te ayudará a estar atenta a estos delicados poderes y a cómo aumentar la energía.

El quinto y más poderoso método es obtener estos poderes desde la Fuente de todo poder. Sintonizar con tu propia forma de luz te permitirá luego sintonizar con la frecuencia de la Luz Divina, consiguiendo así una energía y un poder añadidos.

Al conectarte con la Fuente Suprema accedes a poderes que son reales y prácticos, y que te ayudan a definir y proteger tu camino. Te permiten hacer un trabajo de transformación dentro de ti y del mundo. Al reconocer que lo externo guarda directa correlación con lo interno, estos poderes le entregan luz, claridad y fuerza al que es el primer paso de la creación: el mundo interno. Cuando el mundo exterior es confuso, Shakti despeja la huella volviéndose hacia adentro y ordenando el caos interior. Estos Ocho Poderes son las herramientas fundacionales para la transformación del ser en la acción y, por lo tanto, para la transformación de nuestro mundo.

Modos de relacionarse con los poderes

Aquí encontrarás diversas formas de relacionarse con los poderes, que son también distintos modos de explicarlos. Están diseñados para apoyarte del modo que más te acomode, te integre, te recuerde y te inspire. Después de cada introducción encontrarás el análisis profundo de cada uno de los poderes del liderazgo Shakti.

1. La rueda del color

A través de la meditación, un terapeuta del color y yogui de larga experiencia se sentó a analizar cada uno de los poderes y los asoció con sus colores correspondientes. Los colores no son más que expresiones de energías o frecuencias, tal como lo son las ideas o los sentimientos. Si los colores te funcionan, úsalos para recordar tus poderes. Vístelos, visualízalos, decora con ellos. Lo que sea que te recuerde los poderes que tienes.

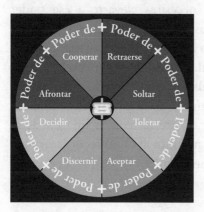

*Puedes encontrar la imagen original de esta "rueda del color" en la solapa de este libro.

2. La imagen

Hay imágenes que usan los mismos colores y que guardan una relación metafórica con cada poder. Para algunos es más fácil recordar una imagen que un concepto.

3. La meditación

Se trata de una breve metáfora que conecta el poder con la imagen.

4. La historia
Situaciones de la vida cotidiana que apoyan la comprensión práctica e intuitiva de cada poder.

5. La sabiduría
Para quienes quieran ir a lo más profundo. Si es tu caso, te sugiero que escribas lo que vaya saliendo de tus pensamientos, sentimientos y percepciones frente a cada poder.

6. Los arquetipos
Acudimos a ocho diosas de la tradición oriental para trabajar con la energía de estos arquetipos con el fin de producir un giro en la conciencia. Hazlo cuando necesites elevarte a ese poder transformacional. Quizás quieras buscar imágenes de otras tradiciones o culturas que tengan más que ver contigo y tu recorrido. Por ejemplo, una pequeña estatua de Kuan Yin, la versión femenina de Buda, me resultó útil en mi búsqueda por ser más compasiva, pues ella es la encarnación arquetípica de la compasión. Y ahora llevo en mi billetera una medallita plateada con la imagen de la Virgen María que encontré en mi automóvil: es mi recordatorio de que debo desarrollar un amor incondicional.

7. La distorsión
Sólo para destacar el hecho de que, al ser recursos del alma, los poderes existen siempre. Cuando se está viviendo con las Caras Tradicional o Moderna, sucede que se utilizan de forma distorsionada. Se incluyen ejemplos de estas distorsiones para arrojar claridad sobre su uso.

8. Las virtudes
Existen cuatro cualidades o virtudes clave vinculadas a cada poder. Enfocarte en hacer brotar esas virtudes en tu actitud y comportamiento te ayudará a anclar el poder en ti.

El Poder de Retraerse

La meditación

Hay momentos en la vida en los que necesito retirar mi energía de una determinada situación. A veces puedo dar mentalmente un paso atrás, ubicarme en el balcón a observar al resto o incluso a mí misma. Y hay veces en que necesito salir e irme por completo del lugar. Pienso cómo será para un astronauta, alguien que ve el planeta Tierra por primera vez desde el espacio, desde el lugar más retirado posible. Su perspectiva seguro será muy diferente.

La historia

Hace unos años, en un retiro, una joven se apartó del resto para hablar conmigo durante un recreo. Estaba algo turbada y quería saber si yo podía ayudarla. Este tipo de cosas siempre son un poco desalentadoras, porque hay historias que cuenta la gente ante las que no puedo ofrecer ningún consejo. Lo que hago en esos casos es mantenerme muy silenciosa internamente. Nada de pensar, sólo escuchar y quedarme quieta, esperando que a mi mente llegue alguna inspiración y algo "correcto" que decir.

Es éste el primer aspecto del poder de Retraerse: ser capaces de hacernos a un lado de cualquier sentido del ser que no sea la quieta conciencia interna; tomar distancia de nuestras funciones, responsabilidades, creencias y relaciones. Ser observadores, sin juicios ni opiniones.

Ahí estaba yo, ejercitando mi poder de Retraerme cuando Chloe me explicó su dilema: "¿Ha oído hablar alguna vez de los 'caminadores'?", me preguntó. "No. Cuéntame un poco más", le dije, esperando tener algún contexto para lo que me preguntaba. Entonces me explicó que creía que ella era una "caminadora". De acuerdo a sus creencias, la época de cambios por la que pasa el mundo requiere de muchas almas individuales para hacer su trabajo, o sea, para cumplir sus propósitos con rapidez. Por esa necesidad de rapidez, no hay tiempo para que las almas nazcan y crezcan hasta llegar a adultas del modo normal, y que aparentemente por eso hay almas que ocupan cuerpos adultos de otras almas. Un cuerpo podía tener varias almas que sucesivamente entraban y salían, entregando de ese modo su regalo a la Humanidad. "¿Qué pasa cuando llega el momento en que he cumplido mi propósito y debo abandonar este cuerpo para que otro caminador lo tome?"

Esas ideas no entraban para nada dentro de mi marco de comprensión, pero bajo ningún punto de vista podía decirlo así. La verdad, ¿cómo podría saberlo? Lo que sí descubrí es que Chloe estaba siendo increíblemente sincera y rigurosa en su deseo de encontrar respuestas. Si nos hubiésemos encerrado en diferentes "yo creo que", no habría sido capaz de ayudarla. Pero el estar en silencio, salirme de Caroline, escuchar a Chloe, conectarme con Dios y luego esperar implicó que fui capaz de mostrarle un camino que a ella le resonó como un consejo genuino, sin descartar su historia ni comprometer mi integridad personal.

Le dije a Chloe que su pregunta era exactamente la misma que reside en el corazón de mi práctica: ¿cómo ser tan libre como para retirarnos cuando llegue el momento? Y que el arte de la meditación Raja Yoga consiste en saber distinguir profundamente entre el ser y el cuerpo, en una dimensión empírica y no sólo intelectual. Cualquiera de nosotras necesita estar preparada para retirarse, en cualquier momento. No sabemos qué sucederá hoy, mañana ni la próxima semana. Cuando murió Michael, mi esposo, el doctor pensaba que iba a durar dos meses más. Yo le había dicho apenas 36 horas antes, luego de estar meses intentando salvarlo, que si ése era su momento para partir, que entonces yo estaría bien y que él podía irse en paz. Y fue lo que hizo. Una vez que su cuerpo se volvió un lugar muy difícil para vivir, el alma retiró su energía y soltó cualquier apego que le quedara a la vida de Michael. Ése es el punto culminante del poder de Retraerse. Ser capaces de retirarnos por completo, sea de nuestras creencias y las estructuras de identidad del ego, de situaciones limitantes o destructivas, o al final, del cuerpo.

La práctica será la misma. La conciencia del alma. Yo no soy este cuerpo. Soy un alma, un punto de luz. Puro en esencia. Lleno de energía divina. Una minúscula estrella invisible de pura conciencia, tan pequeña que nadie puede verla. Vivo en este cuerpo, trabajo en complicidad con él y reparto mi fuerza vital a través suyo, pero soy energía. Recordar esto durante el día, hacer de ello una práctica profunda, torna accesible el poder de Retraerse, además de facilitar, embellecer y fortalecer la meditación.

Así fue que Chloe comenzó su mañana sintiéndose profundamente satisfecha. Y yo me sentí profundamente agradecida por este poder, que me permite ser honesta con ella y conmigo.

La sabiduría

El poder de Retraerse tiene que ver con la perspectiva. Nos da claridad y templanza, así como la capacidad para modificar una situación. Retraerse es desapegarse, dar un paso al lado, cualquiera sea la situación actual (sentimientos, emociones, confusión, interacción), mis reacciones potenciales o la insistencia de situaciones externas para atraparme en sus redes.

Este poder es fundamental para el liderazgo, pues avanzar hacia terrenos inexplorados requiere tomar distancia de los antiguos modelos de pensar, de ser y de reaccionar.

Para retraerse es fundamental comprender que soy un actor que interpreta un papel, un jugador en un partido. Si comienzo a creer que yo soy el partido, y me dejo atrapar en la identidad del papel, perderé el poder de crear, contribuir y ser libre para trazar nuevos caminos. Apenas me fundo en un rol quedo atrapada en todo lo que está asociado a esa identidad. Tener conciencia de que soy un actor me liberará de la insistencia de la tradición y el conservadurismo.

El poder de Retraerme también me asegura el acceso a otros poderes cruciales para el liderazgo actual. Debemos ser completa y puramente creativas cuando no hay un mapa del futuro y de verdad estamos escribiendo los fundamentos del modo en que vivimos y trabajamos: no ajustes menores, no un cambio gradual. Se requieren giros radicales. En el pensamiento y la manifestación creativa estos giros surgen de una mente libre y un mundo interior quieto, que se convierten en los receptáculos del genio. Ésta es la alquimia de Shakti. El camino para este poder instrumental es la meditación y tan sólo aprender a dejar mi mente quieta. Hablar menos, pensar menos. Desarrollar una disciplina dentro del ser.

El poder de Retraerse también nos avisa cuando ha llegado el momento de retirarnos de una situación, un escenario, un cargo. Es el poder de irme cuando sé que ha llegado el momento de partir.

El poder de Retraerse apuntala y actúa como pilar del poder de Discernir.

El arquetipo Shakti: la diosa Parvati

Shakti está directamente conectada con la Fuente Suprema, y en este poder el arquetipo está representado por Parvati. Ella es la esposa de Shiva, pero la suya es una historia de independencia. Mientras Shiva estaba en las montañas, viviendo la austeridad en duelo por la muerte de su anterior esposa, Santi, Parvati comenzó su propio retiro. A través del aislamiento, la introspección y la meditación profunda se volvió poderosa en forma independiente. Fue su desapego del mundo físico y de sus relaciones lo que le permitió rozar la fuente del poder divino.

El poder de Retraerse no requiere que abandonemos el mundo y vivamos la vida en montañas baldías, sino que fortalece a Shakti con el mismo desapego pero en pleno involucramiento con el mundo físico. El rosario simboliza el poder de Parvati para retraerse: se encuentra unida a través de un hilo a muchas otras cuentas, pero se mantiene independiente y despejada en su identidad particular. El hecho de que aparezca acompañada por varias vacas sagradas indica que sus poderes son sagrados, y que la energía que acumula y comparte es fuente de vida.

La distorsión

Si se usa a través de la conciencia de las Caras Moderna o Tradicional, este poder se vuelve manipulación más que poder. Una manipulación para eliminar, anular, retener nuestra energía, nuestra contribución y nuestra comunicación. Es el viejo modo de tratar de obtener poder de los demás.

En el marco de una relación, más que alejarse de alguien que parezca haber "ganado el poder", es mejor retraerse del propio esquema y darse cuenta (sin emitir un juicio) de que uno ha estado ejerciendo una manipulación. Apenas realices esa observación, tomarás un poco más de distancia y quedarás capacitada para recuperar poder. Luego basta con ver qué poder o virtud usarás para seguir avanzando.

Las virtudes

- silencio
- desapego
- introspección
- concentración

El Poder de Soltar

La meditación

Siento el pasado como si fueran cadenas que me atan fuertemente a cosas irrelevantes que ya no funcionan ni me ayudan. Si es cierto que la mayoría de mis pensamientos son de algún modo sobre el pasado, y si es cierto que mis pensamientos crean mi futuro, entonces a menos que detenga esa dinámica mental desgastadora estoy condenada a volver a generar lo pasado.

Por eso, déjame hacer algo: dejar que estos pensamientos se eleven hasta perderse, y mientras más se alejen, más liviana me sentiré y más quieta se volverá mi mente.

La historia

Conocí a Ann en Brisbane, Australia, en un retiro sobre la Quinta Cara. La Quinta Cara se dedica por completo a experimentaciones prácticas y personales sobre la relación entre cada una y el Ser Divino. Ann llegó con una amiga. Ni Ann ni la amiga que la había traído eran creyentes. Ann, de hecho, estaba furiosa con Dios. Y durante ese fin de semana se fue enfureciendo cada vez más.

En un momento de la tarde del sábado, su amiga decidió no seguir participando del retiro, pues prefería ocupar el tiempo a su manera en ese hermoso entorno. También estaba enojada. Fue mejor así. Tal como lo comentamos al final del retiro, eso le permitió a

Ann encontrar su propio recorrido sin dejarse llevar por lo que le sucedía a su amiga.

Ann sufría de graves dolores de espalda. Se las había arreglado para traer un sillón plegable y cojines que le permitían tenderse durante los talleres. Ahora que lo pienso, debe haber tenido un poder en verdad notable dentro de su alma para hacer ese esfuerzo por conectarse con temas tan volátiles sintiéndose tan incómoda.

Más tarde llegamos a entender la ira de Ann. Hacía veinte años su pequeña hija, un bebé de apenas un año, había muerto. Desde entonces ella se había negado a permitir en su vida la luz de Dios, a quien culpaba de su dolor y su pérdida. Había sido incapaz de escuchar, mirar o sentir algo más que ese dolor que la cegaba a la verdad.

De algún modo –inmersas en el silencio y la reflexión, la buena compañía y la nutritiva comida de ese fin de semana–, Ann fue capaz de ver. El poder de Retraerse es un primer paso fundamental para luego soltar. Durante ese fin de semana, Ann participó en varias actividades que utilizan el poder de Retraerse. A medida que avanzaba el trayecto, se iba abriendo más y más, e iba comprendiendo el pasado, reconociendo las causas, viendo su vida actual sin el filtro de esa pérdida.

Muchos de los ejercicios que realizamos en la Quinta Cara son experimentos prácticos para conectarse con la energía de Dios y hacerla surgir como un regalo al mundo. Ann tuvo esta experiencia y fue capaz de darse cuenta de quién es Dios verdaderamente. Que no tiene nada que ver con la vida y la muerte, ni con los accidentes ni las enfermedades, ni con la buena suerte. Que el mundo que nosotras creamos se basa en nuestros propios pensamientos y acciones, y que no siempre experimentamos sus resultados durante nuestro período vital. Que hay cosas que se arrastran más allá. De algún modo, y luego de veinte años de profundo dolor, Ann era capaz de ver a través de la niebla y darse cuenta de que ya era tiempo de liberarse del pasado y de las ideas que la mantenían empobrecida en su propio espíritu y en su relación con lo Divino, así como en sus propósitos y su destino.

Como una semana después del retiro recibí una carta de la amiga de Ann, la atea, quien también trabajaba contra su resistencia con gran desapego y coraje. Nos decía que Ann se había comprometido a ser un canal de la energía de Dios en el mundo. Que había tres personas en su vida que estaban muriendo y que ella quería darle a cada alma ese regalo de energía pura y divina para ayudarlas en su viaje. Que estaba en paz, llena de motivación y con una conexión poderosa con el presente y con ella misma.

La sabiduría

Éste es el poder para acabar con todo lo destructivo, inútil y desechable. Es el poder para ser libre, sin guardar nada del pasado en el corazón, y tampoco en la mente algo sobre el futuro que no tenga sentido. Es la fuerza para decir no a la negatividad. Soltar requiere coraje, capacidad de perdón, confianza y pureza. Significa que nuestra vida partirá de nuevo desde este punto en adelante.

Es un poder que exige que me libere de todas las limitaciones de identidad. Implica acabar con lo que otros esperan de mí y con lo que yo espero de los demás, abandonando todo pensamiento, creencia e identidad que sean limitados. Olvidarse de cualquier apego a un camino predeterminado y estar preparada para permitir que surja algo por completo nuevo.

Cuando me libero de las expectativas que tengo respecto de mí misma sobre la base de lo que los demás esperan, puedo comprender mejor y tener más compasión no sólo hacia mí misma sino también hacia otros. Esto es crucial para el rol de líder. De hecho, al deshacerme de la carga de las expectativas, quedo con la suficiente libertad para tomar decisiones incisivas y que estén más empapadas del poder de la verdad que de la fuerza de la tradición.

Porque acoge la noción de un nuevo modo de vida y de trabajo, este poder me compele a acabar con cualquier atadura con los esquemas actuales. Debo soltar esa limitante atracción que siente el ego por la posición. Ir más allá de la opinión ajena, y olvidarme de lo que yo creo que sé y quién creo que soy. Volver a mirar.

El arquetipo Shakti: la diosa Durga

Durga es el arquetipo para el poder de Soltar. Se la venera como aquella que destruye los defectos. Con su conocimiento y desapego anula lo que no sea puro y verdadero. Sus símbolos son muchos, y su principal arma en este contexto es la Espada de la Ilusión, que simboliza el poder del conocimiento para acabar con todo lo ilusorio, todo lo limitado.

En la mitología hindú, fue Durga quien venció al gran monstruo Mahishma, liberando así al mundo del mal. El poder de Soltar nos hace salir de la oscuridad a la que nos aferramos, ya sea por costumbre o por las ganas de tener siempre la razón. Es el poder que me permite tener la luz en mis manos.

Cuando las mujeres puedan usar colectivamente este poder para poner punto final a la Historia y el modo en el que la Historia ha moldeado su carácter, el mundo podrá cambiar. Mientras llevemos en nuestra psiquis el sello de la degradación y el servilismo, estaremos siempre entre dos opciones, el sometimiento y la reacción, que no podrán proporcionarnos un nuevo o mejor camino.

La distorsión

Cuando se lo usa a través de la conciencia de las Caras Tradicional y Moderna, este poder se distorsiona y convierte en negación y represión. Se niega a enfrentar aquellos asuntos o sentimientos que boicotearán nuestro esfuerzo. La negación y la represión son el no soltar. No son poderes, sino simples estrategias de supervivencia para enfrentar situaciones y sentimientos que nos superan. El soltar te permite darte cuenta de los pensamientos y sentimientos que no te ayudan y te hacen daño, y luego, en conciencia, optar sobre qué hacer con ellos.

Las virtudes

- respeto por uno misma
- disciplina
- mirada positiva
- pureza

El poder de tolerar

La meditación

Nada en el mundo es perfecto. Hay veces en que las cosas no son para nada como me gustaría, y hay veces en que termino siguiendo la huella de la energía negativa de otra persona. Pero si quiero mantenerme fuerte y feliz no me puedo permitir reaccionar ante todo, o tomarme todo de manera personal.

Un árbol le da sombra y descanso incluso a quien lo tala. Así también yo debo estar por encima de los insultos. Cuando una tempestad ataca el árbol, éste no se defiende, no se toma la tempestad como algo personal. Se sacude y balancea... hasta que la tempestad se acaba.

La historia

Tuve enormes peleas con mi padre durante mi adolescencia. Éramos muy, muy diferentes. Hoy tenemos más cosas en común porque hemos recorrido nuestros propios, aunque a veces cruzados, caminos espirituales, pero todavía somos en lo fundamental diferentes en cómo vemos y enfrentamos la vida.

Yo siempre estaba intentando ganarme la aprobación de mi padre, o por el contrario, una vez que asumía que nunca la tendría, rebelándome y haciendo cosas que le generaban enojo o desdén. Al mirar hacia atrás entiendo que mi comportamiento era sólo otra manera de llamar su atención..., pero no fue nada positivo, ni para él ni para mí.

A principios de los años noventa mi padre había armado un negocio de programas de computación con mi hermana Donna, y tuvieron bastante éxito. Antes, mi padre había comenzado casi sin dinero un negocio de manufactura que desarrolló de modo tan satisfactorio que terminó vendiéndolo por una atractiva suma. Cuando en 1997 comencé con mi empresa, y conseguí mi primer gran contrato con un banco un año después, creo que sentí como si me hubiese reconciliado con mi padre. De hecho, él se mostró complacido. Ese contrato duró unos nueve meses y pude emplear a unas ocho personas. Todo parecía dado para convertirse en un éxito para mí… y para mi padre.

Por desgracia, no fue así. No había aprendido que uno debe trabajar tanto en el negocio como *sobre* el negocio, o sea que mientras se trabaja debe uno estar consiguiendo más trabajo y levantando la infraestructura del negocio. Luego de varios meses sin entradas y de muchas conversaciones con mi padre en las que él cuestionaba mi proceder, al fin tuve una conversación con él que cambió mi vida para siempre.

Por teléfono, le expliqué mi estrategia para conseguir nuevos clientes. Se trataba de una estrategia creativa, en la que invitábamos a un desayuno a la gente para mostrarles nuestro proceso transformador. Requería de una pequeña inversión, pero yo creía que valía la pena. Hasta ese momento habíamos tenido cuatro desayunos, y aunque el resultado siempre era muy positivo, no había negocio. Mi padre pertenece a la vieja escuela de los vendedores que se dicen "no dejes que te den con la puerta en las narices".

–Basil, me preocupas… ¡No sé cómo puedes sobrevivir administrando de ese modo un negocio! (Sí, tal cual: ¡mi padre me llama Basil).

En circunstancias normales yo hubiese reaccionado de una manera emocional, como lo había hecho en los treinta y nueve años previos de mi vida. Pero ese día hubo algo diferente. Luego de años de meditación y de practicar el desapego que me da la conciencia del alma, descubrí que ninguna emoción estaba dispuesta a levantarse para la batalla. Todo estaba quieto. Y entonces me escuché a mí, mi voz, hablándole con mucha calma a Kev, mi padre:

—Papá, ¿crees en el poder del pensamiento?

—Sí, por supuesto. Sabes que sí, Basil.

—Mira, papá. Yo entiendo que tu preocupación nace del cuidado y el cariño. Sin embargo, no sé si te das cuenta de que tus dudas contaminan mi sueño. Si puedes, sería para mí mucho mejor y más constructivo que convirtieras tu preocupación en fe.

Un minuto de silencio de Kev.

—Sssssí…, está bien, Basil. Puedo hacerlo.

Unos minutos más tarde colgamos el teléfono, muy contentos. Papá se fue al día siguiente a Londres a visitar a mi hermano, y cuando regresó, cinco semanas después, recibí una llamada suya. Yo estaba en un viaje de trabajo, a punto de entrar a una reunión.

—Tu hermana me contó que concretaste algunos negocios mientras estuve de viaje. ¿Es así?

Podrán imaginarse el júbilo que sentí. Desde nuestra última conversación, y en sólo cinco semanas, había firmado tres grandes contratos. Ahí estaba yo con mi teléfono móvil, fuera de la oficina de un cliente, diciéndole a mi padre:

—Es cierto, papá. ¿Y sabes qué?

—No, ¿qué?

—¡No tuve que golpear ni una puerta!

Él hizo una pausa y luego dijo:

—Ya lo ves, Basil… ¡el poder de mi fe!

Me reí. ¿Por qué no?, pensé. Después de una vida de tomarme el miedo y la inseguridad de mi padre de modo personal, y luego, de años de practicar meditación, aumentando estos poderes, fui capaz de usar el poder correcto en el momento preciso. El poder de Tolerar nos permitió a ambos ser libres. Y no sólo eso: mi padre fue capaz de usar su pensamiento para apoyarme y así ver un resultado tangible del poder de la fe. Es el tipo de cosas que a uno le cambian la vida. A mí me significó la liberación de toda una vida de sentirme insegura, reprobada, no lo suficientemente buena para mi padre. Hoy tenemos ocasionales interferencias en nuestra relación, pero nada como antes y, por cierto, no reaccionamos desde el dolor, tal como solíamos hacerlo. Somos capaces de hablarnos con apertura y con amor, y la sanación que eso produce es inmediata y agradable y resuena a través del tiempo. Ambos nos sentimos bendecidos de compartir juntos la travesía de la vida.

La sabiduría

El camino de una transformación espiritual no es fácil, si bien muchas veces tiende a creerse que sí. Hay muchas cosas que tolerar: tus propias insuficiencias, tus dudas, tu falta de claridad y las sombras que comienzas a percibir a medida que va creciendo tu luz. Además, todos vivimos con relaciones y en sistemas de dependencia energética; reaccionando unos con otros, luchando por poder. Cuando comienzas a cambiar, y la gente alrededor siente ese cambio y cómo te alejas de ese sistema energético de dependencia, una molestia inconsciente los lleva a reaccionar, proyectar y culpar a quienes ellos creen que son responsables de su incomodidad. No es siempre algo racional, pero cuando la gente se siente amenazada recurre a tácticas de supervivencia.

Con el poder de Tolerar manejamos los cambios de ánimo, emociones y proyecciones de los demás. Es el poder para ver más allá del propio comportamiento; de reconocer y luego decidir qué hacer con la motivación que nos dirige. Toda la gente se encuentra inserta en sistemas energéticos de relaciones. Sobre todo tus cercanos, pero incluso un desconocido que te trata mal en la carretera sólo trata de "obtener" energía de alguien más porque siente que no tiene recursos para manejar lo que sea que le esté sucediendo en la vida.

El poder de Tolerar conoce la compasión y la usa con sabiduría. Es el poder con el que podemos enfrentar a una persona con comprensión y bondad, mientras acudimos al poder de Afrontar para lidiar con lo que en ella nos parece inaceptable..., incluso si esa persona es uno mismo.

En su sentido más profundo, el poder de Tolerar capacita a Shakti para guiar a una persona, grupo o sistema hacia un estado diferente, sin caer en el juego del abuso ni de la manipulación, sino que siendo capaz de comprender la más profunda necesidad del alma para entregar esa energía allí donde se la necesita. Por eso, si alguien se siente herido y proyecta enojo desde su dolor, Shakti puede transformar ese enojo en un bálsamo de compasión y consuelo, compartiendo con el otro su misma vibración o sentimiento. El poder de Tolerar le brinda a Shakti una profunda introspección y madurez.

El arquetipo Shakti: la diosa Jagadamba

Jagadamba, la gran Madre del Mundo, es el arquetipo de este poder.

Suele decirse que cuando existe amor incondicional no hay necesidad de tolerar. Pero la tolerancia comienza por convertirme en madre de mí misma, y así puedo tolerar mis inconsistencias y fallas, y pasar por encima de todas mis limitaciones para amarme por completo a mí misma, el alma pura.

Cuando puedo tolerar mis propias limitaciones, estoy más capacitada para hacerlo también con las de los demás. De todas las Shakti, Jagadamba es la que carga con más armas, simbolizando cuánto poder de verdad se necesita para tolerar y amar en plenitud, con el corazón puro y sin buscar retribución ni condiciones.

Al ejercer este poder, Shakti es la Protectora de la Inocencia, tanto en sí misma como en los demás. Como madre que es, hará lo que sea necesario para mantener seguros a sus niños inocentes. Es una fuerza invulnerable. Es quien salva a nuestro mundo de la corrupción, y es a través de su amor y tolerancia que el mundo recuperará los valores correctos.

La distorsión

A través del filtro de las Caras Tradicional y Moderna, el poder de Tolerar se distorsiona cuando una mujer desempeña el papel de mártir abnegada. Lo de mártir puede parecer muy noble, pero, independientemente de cómo se le mire, se trata de una energía manipuladora que busca ganar el juego de sentirse valiosa y/o llamar la atención... para obtener más energía y poder.

Las virtudes

- comprensión
- paciencia
- aceptación
- valentía

El poder de Aceptar

La meditación

Cuánto dolor se produce por la porfía de mi ego en no aceptar "lo que es" e insistir en aferrarme a lo que "debe ser". Sin embargo, enfrentar la realidad tiene un sentido: Aceptar "lo que es"… y luego escuchar qué sigue. Soltar el control. Aprender a confiar. Y mientras fluyo sin esfuerzo por entre las curvas de este recorrido, la vida se hace tan fácil como la de un río que avanza hacia el océano.

La historia

En 2005 fui a Polonia. Allí conocí a mujeres fantásticas, entre ellas a Eve. Eve es periodista y cineasta, pero ahora tiene sesentaitantos años y, según el actual régimen capitalista de su país, no puede considerarse en realidad activa. Aunque en ningún caso el comunismo fue un sistema agradable para Polonia, para Eve representaba un mundo mejor, o al menos más seguro.

Allí estaba una mujer inteligente y hermosa, debilitada por un sistema que la hacía sentirse a salvo. No es que le diera la seguridad que ella de verdad quería, sino que simplemente la volvía dependiente del sistema.

Durante un retiro de fin de semana sobre las Cuatro Caras, en Varsovia, hicimos un ejercicio con los Ocho Poderes. Suelo llevar conmigo una rueda de colores gigante, pero sin las marcas que asocian tal color a tal poder. Les pido a las mujeres que cierren sus ojos y que, sin dejarse absorber, sintonicen con algo en sus vidas que esté trabado…, un asunto poco claro, una relación en conflicto, un problema sin resolver. Una vez que lo tienen en la mente, les pido que abran sus ojos y vayan a pararse junto al color que más les atrae. Una vez que lo han elegido, les revelo qué color representa qué poder. También les cuento la historia de Shakti o diosa que se asocia a cada una. Es un uso de la intuición muy efectivo. Suelen ser notables las coincidencias, revelaciones y "¡aaaah!" que surgen en la sesión.

Pero Eve, al oír que al pararse junto al color turquesa había elegido el poder de Aceptar, se indignó. No había manera de que pudiera estar de acuerdo con algo así. Se sintió engañada. Podría haber elegido discernir o afrontar o tolerar, pero, ¿aceptar? ¡Nunca!

Le pedí que esperara un rato y que viéramos cómo terminaba todo. Se unió a su grupo de otras "aceptadoras" para dialogar sobre el poder elegido. Ese día, en ese momento, Eve eligió aceptar.

Luego de que los grupos tuvieran un rato para intercambiar impresiones, les pedí que regresaran. Eve seguía descontenta. Meditamos. No tengo idea de cuál fue el comentario de meditación que hice, pero cuando terminó y todas abrieron sus ojos, al mirar a Eve fue como si estuviese ante una mujer por completo diferente: estaba tranquila y sutilmente contenida. Su rostro transmitía una sublime serenidad. Sus ojos eran como profundas fuentes de paz.

Continuamos con el taller hasta la pausa del té. Cuando el grupo se dispersó, entré en el aura tranquila de la expectante Eve. "¿Qué pasó?", le pregunté. Parece que durante la meditación se había transportado a un jardín en el que había una pequeña cabaña. Cuando describió la cabaña y al hombre que estaba en el jardín, me di cuenta de que hablaba sobre un lugar al que suelo ir de retiro en el monte Abu, en India. Eve nunca ha estado allí y, sin embargo, había tenido una visión del lugar y del hombre que fundó la Universidad Espiritual Mundial Brahma Kumaris.

Eve compartió su visión. Allí estaba en el jardín junto a Brahma Baba, como se le conoce; él sonriendo con un amor enorme y con un hermoso ramo de lirios turquesa en los brazos (por supuesto, en los sueños y meditaciones lo irreal se vuelve muy real).

"Son lindas", nos contó que ella había dicho.

"¿A que sí? Son para ti", dijo el hombre. Las extendió y cuando ella se acercó para tomarlas, él le dijo: "¿Por qué no quieres aceptar la vida?".

Eve reveló que en ese mismo instante algo en ella se esfumó: la resistencia a la vida. Todos sus miedos, quejas e inseguridades se desvanecieron al aceptar las flores.

Más tarde, antes de irme de Polonia vi a Eve un par de veces más. No sé cómo estará ahora, pero mientras estuve en Varsovia la vi crecer en fortaleza, belleza y paz. El poder de Aceptar le regaló una satisfacción contundente desde la cual ella comenzó a crear su vida.

La sabiduría

Es el poder que nos entrega paz y satisfacción. Requiere de humildad para entender que no lo sabemos todo, y que muchas veces surgirán mejores caminos si es que así lo permitimos.

Si dentro de ti hay una imagen lo suficientemente poderosa sobre un futuro más sustentable, atraerás todo lo necesario para que ese futuro se manifieste. No siempre serán los signos que esperas; de hecho, pueden hasta parecerte contrarios a tu plan. En momentos así, tan sólo aceptar sin emitir un juicio te abrirá una ventana nueva. A esas alturas no necesitas controlar ni juzgar ni arreglar ni cambiar…, tan sólo dejar descansar tu ego y ajustarte a "lo que es". Incluso si la situación es extrema, una vez que te hayas ajustado habrá paz en tu mente, corazón y relaciones, y esa paz hará nacer una huella creativa por la que avanzar, trayendo con ella una energía y un compromiso renovados.

Éste es también el poder para moverte en el mundo sin tener que juzgar ni sopesar todo lo que encuentras. Es el poder que permite que todo sea, y que nos hace comprender que aquello que podríamos establecer como bueno o malo, correcto o incorrecto, es algo que viene del condicionamiento y no de la verdad. El mundo está lleno de vastas diferencias; las cosas no son mejores ni peores…, sólo diferentes.

Cuando eres auténtica y honesta contigo misma, deja de ser relevante la necesidad de comparar. Estás en total paz contigo misma y eres capaz de estarlo también con los demás. Fluyes a través de la vida y descubres que ésta te sostiene en tus empeños.

Si consideramos que la satisfacción y la felicidad son tesoros lo suficientemente valiosos para cuidarlos y guardarlos, entonces el poder de Aceptar es el centurión protector de tu contentamiento. La mano alzada de su diosa indica que ella está llena de bendiciones y que puede compartirlas con los demás.

El arquetipo Shakti: la diosa Santoshima

Santoshima es la diosa del contentamiento y el arquetipo vinculado al poder de Aceptar. Carga un tridente con el que destruye todas aquellas elecciones y opiniones basadas en el ego, la avaricia y el apego. También carga con la Espada de la Ilusión y con un bol de arroz. Ese bol representa la noción de que los granos son todos diferentes, pero que se ofrecen juntos como parte de un todo nutritivo. Transmite una sensación de tranquilidad y no violencia.

La distorsión

Desde las Caras supervivientes (Tradicional y Moderna), el poder de Aceptar se convierte en una opción autodestructiva. La Cara Tradicional acepta mantener la paz porque así es más fácil mantener la armonía exterior, pero lo hace poniendo en riesgo nuestra dignidad y acallando la voz de nuestro conocimiento interior. Al ajustarnos de este modo disminuimos la valoración y el respeto por nosotras mismas.

La Cara Moderna acepta aquello que parece lo opuesto a la

tradición a la que renunció. Puede que no sea lo que quiere, pero le sirve para evadir lo que no quiere.

Las virtudes

- flexibilidad
- apertura
- misericordia
- delicadeza

El poder de Discernir

La meditación

Para de verdad distinguir qué es cierto y qué no, y comprender qué es lo que de verdad sucede, debo dar un paso atrás, tomar distancia de mis opiniones y de mi contexto me permite percibir con mayor claridad.

Curiosamente, este paso atrás funciona como una lupa. Al combinar desapego y enfoque veo la escena completa, y también todas sus partes... y puedo comprender la verdad del momento. Me siento clara y segura.

La historia

Fue el peor y el mejor año de mi vida. El peor, porque todo se deshizo en mí. Todo lo que me hacía sentir segura me fue arrebatado. Y el mejor, porque me encontré a mí misma, perfeccioné mis más delicados recursos (como el discernimiento y la intuición), aprendí a confiar en mí y en la vida, comencé a deshacer el trabajolismo como estilo de vida, me volví autosuficiente, comencé a desarrollar mi creatividad, atisbé el futuro, comencé a aprender un nuevo modo de manifestación, encontré un sentido más estable de la seguridad y, jubilosa, inicié el funeral para la víctima que había dentro de mí.

Era 1999. Estaba en un retiro, en India, en la casa central de la Universidad Espiritual Mundial Brahma Kumaris. Llevaba ahí una semana cuando me di cuenta de que me sentía de un modo como nunca me había sentido antes. Era una paz profunda, honda, permanente. Nunca había reparado en lo falta de paz que estaba. ¿Qué había pasado? ¿Por qué me sentía tan increíblemente calma y quieta y tranquila? Entonces reparé en que no había tenido ni un pensamiento sobre el futuro. Que no había generado ni una idea… ¡en dos días! Para mí era un récord absoluto. Era un gran indicador, una pista gigante; y como estábamos en enero, decidí que era un signo para el resto del año. Me propuse que me instalaría en el presente y no pensaría por todo un año en el futuro.

Las cosas comenzaron bien. Estando en India recibí un correo electrónico desde la isla Mauricio, pidiéndome que fuese allí para el Día Internacional de la Mujer y ofreciera el programa de las Cuatro Caras. Grandioso, pensé: un comienzo exótico del año. Así que cuando regresé a Australia busqué un nuevo espacio para instalar una oficina, la decoré…, fue fantástico. Buscamos actores e instructores para trabajar en nuestro inminente programa de consultoría para la transformación organizacional. Contraté a otra persona para que me ayudara con el marketing, y el año partió. Pero, cuidado, ¡no tan rápido!

Cuando nos estábamos instalando en la oficina, tras un mes de arreglos, aún no había encargos laborales en el horizonte. No estaba preocupada, tenía una estrategia y un gran éxito de público tras de mí. Todo iría bien.

Y, además, me había comprometido a no pensar en el futuro. Por supuesto, hice algo de planificación para el negocio, pero me había restringido a planes "realizables", no a "soñar".

Las semanas se volvieron meses y el trabajo no aparecía. Mi saldo bancario decayó pese a todos mis esfuerzos de marketing, y ahí estaba: "atascada" en el presente, con todos esos sentimientos incómodos de los que había escapado al irme a vivir al futuro.

Me di cuenta de lo insegura que me sentía. En el pasado había funcionado con la estrategia de que, sin importar qué tan grave pareciera el hoy, el mañana siempre venía soleado y brillante…, al menos en mi mente. Básicamente, había vivido una ilusión. Pero ahora, y de acuerdo a mi compromiso, estaba allí, abandonada a la realidad presente de la inseguridad, la vulnerabilidad y la dificultad financiera. Aun más: mi casa estaba por venderse y debía encontrar otro lugar donde vivir, lo cual nunca es un drama si tienes suficiente dinero, pero a esas alturas (casi fin de año) ya no tenía nada. Todo comenzó a derrumbarse a mi alrededor.

Quizás lo peor fue que luego de tanto tiempo fuera del "presente", ya no tenía un verdadero sentido de mí misma. Vivía más bien de acuerdo a una versión algo fantasiosa, y esa versión me parecía que estaba bastante bien. Sin embargo, es evidente que cuando uno comienza a vivir en el ahora, en el tiempo presente, debe enfrentarse a uno misma. No al ser verdadero y original, sino a los esquemas inconscientes de supervivencia del ser egótico. Quizás por primera vez me sentía insegura, vulnerable, al borde de la indigencia y viendo toda mi disfuncionalidad en primer plano. Las relaciones en mi vida se volvieron un reflejo de mi propio estado y me sentí muy sola. Por supuesto, el personaje de la víctima apareció en el escenario para mostrar su vistoso espectáculo.

Sin embargo, de a poco mi compromiso comenzó a rendir frutos. Estaba aprendiendo a tolerar el sentirme incómoda. Veía, discernía muy claramente, de un modo como nunca había sido capaz en el pasado. Era como si una dinámica invisible quedara en evidencia. Podía ver los moldes y ataduras que entrelazan a las personas, las ideas y las cosas. Podía ver mis propias conductas de supervivencia como algo diferente de mi verdadero ser.

Y comenzaba a ser capaz de discernir sobre el futuro. Era algo muy diferente de ver, planear o determinar. Era algo más cercano a vislumbrar. Se abren las ventanas para mostrarte lo que puede estar por venir, pero no la imagen completa. Al principio, cuando veía algo me ponía de inmediato en acción, intentando desarrollar estrategias y planes alrededor de lo que había visto, pero no funcionaban. Más tarde me di cuenta de que no tenía por qué hacer algo, sino sólo dejar la ventana abierta y mantenerme atenta.

Con el tiempo las cosas comenzaron a destrabarse y el trabajo a fluir. También fluí yo, y al fin se reveló la vida. Comencé a discernir sobre la gente, sobre situaciones e incluso productos que tuvieran esa "resonancia" que había visto en las ventanas del futuro. Pero, para ser parte de un plan mayor más que una adicta a los planes, hay que ser paciente. Sí, es posible construir y controlar muchas cosas, pero al hacerlo se pierde la magia. El poder de Discernir es una hermosa llave para abrir en la vida la apariencia de lo mágico. Y mientras exista, tal como existes tú, será el poder de Discernir lo que te permita capturar la maravilla, verla con visión divina (el tercer ojo). Entonces tu seguridad se anclará en la calidad de tus pensamientos y acciones actuales. Te das cuenta de que el mañana no existe en tu mente, sino que se construye a partir de la coordinación de virtudes y acciones que hoy suceden.

Aunque lo aprendí a la fuerza, fue una de las lecciones más valiosas y fructíferas que he obtenido en este camino. Descubrí que sólo es posible ver de verdad, discernir de verdad, cuando uno es capaz de tomar distancia y observar al ser sobreviviente desde una posición de firme arraigo al presente. Atisbas el futuro y cargas con lo relevante del pasado, pero vives en el ahora. Escuchando, alerta, atenta y disponible.

La sabiduría

Éste es el poder de usar lo mejor de nuestro intelecto, y ejercitar el arte de consultar a la parte más consciente del ser para así comprender la verdad y la falsedad, lo correcto y lo incorrecto, lo real y lo ilusorio, el beneficio y la pérdida.

Al usar este poder, Shakti puede discernir con acuciosidad. Es el poder de la claridad que permite ver con otros ojos, oír con otros oídos. El poder de Discernir tiene que ver con confiar en lo mejor de nosotros incluso cuando se enfrentan opiniones contrarias, o ideas obsoletas pero activas. Es el poder para escuchar lo que se sabe más profundamente.

Es el poder para mantenerse quieta y buscar la verdad del momento antes de reaccionar. La reacción es dejarse controlar por estímulos externos; es un estado de debilidad. El poder de

Discernir es como una ventana que permite que la Shakti se salte las reacciones compulsivas y, como observadora, vea la realidad de una situación.

El poder de Discernir también invita al líder a que reconozca que tan sólo la lógica no es suficiente. Señala que el líder debe afinar y confiar en su poder intuitivo, así como permitir que diga su verdad aquel conocimiento que está más allá de la lógica. Confianza pasa a ser aquí una palabra clave, pues mientras más confianza hay en el ser, mejor sabemos distinguir cuándo el sentido del conocimiento es preciso.

El arquetipo Shakti: la diosa Gayatri

Gayatri es la diosa del intelecto. Al disco que carga suele llamársele el Disco de la Autorrealización, en el sentido de que cuando Shakti hace girar el ciclo del tiempo –pasando por las Cuatro Caras de lo Eterno, Tradicional, Moderno y Shakti, para luego volver a lo Eterno–, está claramente distinguiendo qué es real, qué es ilusorio y cuál es la verdad de cada momento. Tiene en las manos el disco y la concha de una caracola. Ésta simboliza el poder del discurso y de contar con las palabras correctas en los momentos precisos. Como las otras Shakti, Gayatri reparte bendiciones con su mano derecha. Siempre se la encuentra entre dos cisnes que simbolizan la pureza de su intelecto y su capacidad para quedarse con las joyas y las perlas, sin caer en las sombras de la crítica.

La distorsión

Las Caras Tradicional y Moderna utilizan el poder de Discernir para criticar y enjuiciar. Distorsionan este poder usándolo para argumentar y para denunciar ideas, creencias y personas que están fuera de la zona segura de su propio sistema de creencias. De este modo se sienten virtuosas y a salvo.

Las virtudes

- claridad
- simplicidad
- precisión
- confianza

El poder de Decidir

La meditación

Opción. Compromiso. Opción. Compromiso. Cuando conozco el camino correcto, es como si no tuviese opción. Debo tomarlo. Debo confiar en mí misma, en lo que sé; debo respaldarme. Hay veces en que no tengo idea de adónde me llevará mi decisión, pero, tal como la brújula apunta siempre al Norte, también yo debo seguir mi cauce verdadero con determinación, convicción... y humildad. Al tomar este camino acumulo más sabiduría, y cambio.

La historia

Éste es el poder del compromiso. Recuerdo una magnífica cita de Goethe que escuché por primera vez hace años, cuando ofrecía uno de mis primeros programas de desarrollo del ser. Era sobre el compromiso, un área de mi vida a la que, debo admitir, tengo que dedicarle una cantidad significativa de atención. Hay algo sobre la finalidad del compromiso que me ha hecho sentir en ocasiones atrapada, cautiva, limitada. Pero esa resistencia en sí quita mucha energía y, lo que es peor, los pensamientos subyacentes de "sí" y "no", ambos luchando por la supremacía, gastan energía, boicotean el éxito, provocan dudas sobre uno misma y, con el tiempo, generan desesperanza

Mientras buscaba en internet la cita completa de Goëthe, encontré una historia que puede parecer folclórica, pero que aquella parte mía que ha sentido el poder del compromiso me dice que es cierta. Como durante años he experimentado con esta energía, entiendo que las famosas palabras del pensador alemán son por completo precisas:

> "Hasta que uno se compromete hay dudas, está la posibilidad de echarse atrás, se funciona con pura ineficacia. Para todos los actos de iniciativa y creación existe una verdad elemental, por cuya ignorancia se mueren incontables ideas y espléndidos planes. En el momento en que uno se compromete, comienzan a suceder todo tipo de cosas que no hubiesen sucedido de otro modo. Surge una serie de cosas que disponen a nuestro favor todo tipo de incidentes, encuentros y ayuda material que ningún hombre hubiese soñado que le llegaría.
>
> Ya sea porque puedes o porque sueñas que puedes, comienza. En el atrevimiento hay genialidad, poder y magia. Comienza ya...".

Ésta es la historia con la que me topé en internet. Es sobre una meta que parecía imposible; y a la que, sin embargo, el poder de Decidir permitió que sucediera un milagro:

Una pequeña congregación a los pies de las montañas Great Smokies, al sur de Estados Unidos, construyó un nuevo santuario en un terreno que les cedió un miembro de la iglesia. Diez días antes de que la nueva iglesia comenzara a funcionar, el inspector local de obras públicas le informó al pastor que el espacio de estacionamientos era inadecuado para el tamaño de la construcción. A menos que la iglesia duplicara el tamaño de los estacionamientos, no podría inaugurarse el nuevo santuario.

Por desgracia, la congregación había aprovechado cada centímetro del terreno, a excepción de la montaña. Para construir más espacios tendrían que sacar la montaña de su patio trasero. Sin desesperarse, el pastor anunció el siguiente domingo que esa noche se reuniría con todos quienes tuvieran una fe "mueve montañas". Se haría una sesión de oración pidiéndole a Dios que moviera la montaña del patio y que de algún modo les hiciera llegar suficiente dinero para pavimentar y pintar el espacio antes de la misa de inauguración programada para la semana siguiente.

A la hora convenida, veinticuatro de los trescientos miembros de la congregación se reunieron a rezar. Rezaron por casi tres horas. A las diez, el pastor pronunció el último "amén". "Abriremos el domingo, tal como está programado", les aseguró a todos. "Dios nunca nos ha defraudado, y creo que esta vez también nos será fiel".

A la mañana siguiente, cuando trabajaba en su estudio, hubo un fuerte golpe en la puerta. Cuando dijo "pase", apareció un jefe de construcción de aspecto rudo, que al entrar se sacó el casco.

–Disculpe, reverendo. Soy de la empresa constructora, del condado de al lado. Estamos construyendo un gran centro comercial y necesitamos material de relleno. ¿Nos vendería un pedazo de la montaña detrás de la iglesia? Le pagaremos por todo lo que saquemos, y luego pavimentaremos el pedazo sin costo para usted. Pero necesitamos hacerlo ya. No podemos avanzar hasta que tengamos el relleno y lo dejemos instalado.

He aquí otra historia. Yo me había operado en Chile y me recuperaba bastante bien. Me quedaban quizás dos semanas y media de la recuperación posoperatoria antes de emprenderlas a Italia y luego a India. Angélica, una amiga muy cercana, sentía que yo debía conocer a un doctor chino del cual había oído hablar. Un día fuimos a su consulta y supimos que se había mudado a una casa que resultó estar ¡a ocho minutos a pie de donde yo vivía! Cuando llegamos y estábamos por tocar el timbre, él mismo abrió de pronto la puerta y nos hizo pasar a su consulta, una estancia de techos altos, con un masculino escritorio de caoba y olor a medicinas. La historia del doctor Kim es digna de escribirse, pero depende de él, no de mí.

Ahí estábamos: Kim hablando un mal castellano, Angélica traduciendo en su mal inglés (al menos el de entonces) y yo sin entender mucho, la verdad. Sin embargo, experimentaba cosas extraordinarias. Mientras conversaban de un lado a otro del escritorio, me senté a mirar y comencé a sentir cómo una energía exquisita abría mi corazón. Sentí la presencia de las cualidades del gozo y la compasión. Más tarde, durante la conversación, supe que Kim había sido monje budista por veinticuatro años, lo cual explica mi sensación, dado que el budismo es reconocido por su dedicación al gozo y la compasión.

Ahí sentada, sentí que mi corazón se abría mientras me caían las lágrimas; me sentí muy emocionada. De repente Kim me miró y dijo: "¡Tu único problema es que debes disfrutar!".

Kim dijo que necesitaba recuperarme no sólo de mi operación, sino que de la vida... Estaba echándome demasiado trabajo encima. Debo decir que no necesitaba viajar al otro lado del mundo y atenderme con un doctor chino en Santiago de Chile para saber eso. Pese a ello, Kim me dio una gran esperanza. Dijo que podía ayudarme. Pero que necesitaría que me quedara cuatro meses sin salir de Chile. Incluso se ofreció a trabajar conmigo sin cobrar, porque yo era una persona "religiosa".

Mis planes eran dejar Chile en tres o cuatro semanas más, y aquí estaba, frente a un regalo, una respuesta a mis propia visiones de los dieciocho meses previos. Quería recuperar mi energía vital y mi fuerza, y ahí estaba alguien que lo comprendía, lo diagnosticaba y estaba convencido de que podía ayudarme.

Debía decidir qué hacer. Olvidarme de mis planes de viaje para luego regresar a Australia donde mi familia, mis amigos, mi gato y mi auto; o quedarme en Chile. Kim dijo que trabajaría conmigo cuando yo lo decidiera, y que a él le daba igual si yo volvía al año siguiente. Pero yo sabía que ése era un regalo del momento, que había cierta magia escondida en su interior. La fecha de mi vuelo se acercaba cada vez más, así es que al día siguiente tomé la decisión. Me quedé. Y a la luz de este compromiso la magia no se ha detenido, partiendo por este libro.

Hay muchas otras cosas externas que me están sucediendo y que van en total concordancia con el destino de mi alma. La posibilidad de servir a los demás, de escribir, de realizar un trabajo profesional que paga lo suficientemente bien como para trabajar sólo unas horas a la semana y, además, viajar a diferentes países para conectarme con gente fantástica. Pero hay algo aún más importante para mí: estar en un lugar donde puedo enfocarme en el profundo y crucial trabajo del alma. Aquí soy capaz de deshacer mis viejas pautas trabajólicas. Aquí estoy en un ambiente que me apoya al recordarme lo hermoso e importante que es el poder del silencio. Aquí estoy frente a frente con viejos modelos subyacentes de supervivencia que han brotado con gran fuerza, permitiéndome tomar algunas opciones de gran importancia para limpiar viejas dependencias de poder y de control. Aquí puedo conocer la dulzura de mi verdadera naturaleza, en un país en el que la gente tiene esta cualidad de modo espontáneo. Aquí estoy aprendiendo a confiar más, a amar una vida llena de paz, a ser. Aquí estoy encontrando una nueva relación conmigo misma, con Dios, con la maravilla de la vida.

De eso creo que se trata vivir: estar sintonizada con cada momento, distinguiendo su matiz especial para luego usar el poder de Decidir y armonizarse por completo con ese momento y comprometerse con el sendero que aparezca. En la rueda de los poderes, decidir se ubica en oposición a soltar, y ésta ha sido y sigue siendo mi experiencia. Debo soltar ideas rígidas, planes y viejas identidades, reacciones del ego, miedos y dudas; y seguir permitiendo que el proceso renovador de la vida limpie y genere cada momento. Cuando así lo hago, soy capaz de alinearme, tomar la decisión y comprometerme con pleno poder.

La sabiduría

Éste es el poder de la verdad, el poder de elegir la verdad e instalarme sola sobre ella, pase lo que pase. Está intrínsecamente conectado con el poder de Discernir, y es de él que toma gran parte de su fuerza. Si se le ha ejercitado bien, el poder de Decidir.

Este poder también está asociado con el intelecto, aunque, a diferencia del poder de Discernir, que es un proceso introspectivo, el poder de Decidir se manifiesta hacia el exterior. Un conocimiento a partir del cual se actúa tiene un efecto en el mundo. Quien usa este poder declara: "Confío en mí y tengo claro que mis acciones son las correctas y con ellas tendré éxito. Estoy preparada para defender mis opciones, y para permitir y rendir cuentas de sus consecuencias. Seguiré en esto sólo si es necesario. Creo que estoy actuando correctamente".

Es un poder esencial para los líderes de hoy. Cuando la mayor parte del mundo apenas puede ver aquello que ya pasó (o derivaciones de lo mismo), el hecho de asumir una postura, actuar con decisión y avanzar –aunque uno sea la única persona que puede verlo– exige una extraordinaria fuerza interior.

Habrá momentos en los que de nuevo se hará necesaria una introspección y acceder al poder de Discernir para asegurarnos de que el curso elegido sigue siendo el correcto.

El arquetipo Shakti: la diosa Saraswati

Saraswati también está asociada con el intelecto. Pero a diferencia de Gayatri, cuyo poder es un proceso introspectivo, el poder de Decidir se manifiesta hacia afuera. Un conocimiento a partir del cual se actúa tendrá un efecto en el mundo. El símbolo de esto es la cítara. Saraswati no sigue acordes preordenados, sino que toca de acuerdo a sus propias decisiones y su propia combinación de notas, para que así las dulces melodías vibren alrededor del mundo. También carga con ella la sagrada escritura y el rosario. La escritura evidencia que sus decisiones están alineadas con su verdad y con el honor; y el rosario, que mientras ella decide por sí misma está atenta a su conexión con muchos otros. Quien usa este poder está haciendo una declaración: "confío en mi misma y tengo claro que mis acciones son las correctas y me traerán éxito. Estoy preparada para defender mis acciones y recibir las consecuencias. Estaré en esto sola si así es necesario. Creo que estoy actuando correctamente".

La distorsión

No se necesita pasar por Shakti para tomar buenas decisiones. Pero hay una gran diferencia. Uno puede ser una maestra poderosa en la toma de decisiones, y obtener resultado tras resultado pero sin discreción ni discernimiento. Si durante el proceso usas la fuerza, si dañas a los demás, si transgredes tus valores o los de otro; si decides a partir de tu necesidad vital de reconocimiento, aprobación, poder, libertad, seguridad, no importa qué tan poderosa sea tu manifestación, el resultado nunca será del todo satisfactorio para tus necesidades.

Con porfía y determinación es posible hacer que suceda cualquier cosa. Nos lo demostraron Mussolini, Stalin y Hitler. Como dijo Máximo Gorki: "Cuidado con lo que pides, porque puede ser que lo obtengas".

Las virtudes

- equilibrio
- sabiduría
- entrega
- fe

EL PODER DE AFRONTAR

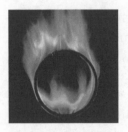

La meditación

Entiendo que en mi camino enfrentaré desafíos, desafíos que están ahí para poner a prueba mi convicción. Pero no son los desafíos externos los que me dejarían fuera de juego. Aquellos que de verdad me harían tambalear son mis propias debilidades. Son ésas las peligrosas, las que me quitarían el sueño. Nublarían mi sentido del ser y dañarían mi alma. Ante ellos invoco el fuego de la valentía, y los transformo en llamas de la verdad. En ese fuego, la oscuridad se vuelve luz y el hierro se vuelve oro.

La historia

La siguiente historia me la ha cedido Mariette Buckle:

¿Quién soy?

Ahora que mi hijo ha muerto, necesito olvidarme de la idea que me hice sobre cómo debía verse mi vida. Se me hace difícil enfrentarla.

Quise morirme cuando el padre de Dylan llegó junto a un joven policía a decirme que habían encontrado el cuerpo de mi hijo. Grité y aullé. Fue horrible, de pesadilla. Quedé destrozada. Golpeé el suelo, ordenándole que me tragara, que pulverizara la vida en mí, y así poder unirme a él, mi hijo adorado

Dylan me había telefoneado seis días antes, a las 7:20 de la mañana de un domingo, luego de una noche de juerga. Me pidió que fuera a buscarlo a una estación de trenes. Conduje veinticinco kilómetros hasta el corazón de la ciudad. Sonó mi teléfono móvil, y era Dylan. "¿Dónde estás?", me preguntó. "Estoy llegando a la estación. Te veré en un minuto".

Nunca apareció. Le dejé una nota en la puerta del auto, por si acaso, y empecé a buscarlo por la ciudad: por calles, atajos inmundos, locales nocturnos. Me imaginé que podría haberse emborrachado y caído por las escaleras, o en un sendero. Hacía tanto calor (era verano en Australia) y la ciudad despertaba hirviendo de sol y de gente, y de ruido y olores. En medio de todo eso estaba yo, aterrorizada. ¿Dónde estaba?

Me fui a casa. Le lloré a mi hija, Alison. Ella tenía dieciocho años, y su hermano, veintidós. Mi energía se extinguía. Alison llamó a mi hermana Kate y a su esposo Michael. Vinieron y me dieron algo para que me calmara, ayudándome a que me tranquilizara mientras llamaban a los hospitales. Luego llegó Phil, mi ex esposo. Y, al final, la policía.

La semana fue una imagen difusa de llamadas telefónicas, visitas, parientes, entrevistas con la policía y los medios de comunicación; todos buscando a un joven desaparecido tan misteriosamente.

Mi relación con Dylan era cercana. Él sabía que de verdad se le amaba. Su padre y yo nos habíamos separado cuando él tenía ocho años, y aunque su padre lo visitaba constantemente, yo era una mujer sola tratando de criar a dos hijos lo mejor posible. Dylan era un chico brillante, un excelente alumno. Había viajado a Londres y Dinamarca, donde aprendió el idioma y se fascinó con la gente. Era muy sociable, muy popular, y los llamados de los medios de comunicación pidiendo pistas sobre un joven desaparecido generaron una avalancha de cartas, tarjetas, y la pregunta: ¿Dónde está?

—¿Cómo murió? —pregunté al final, con la respiración entrecortada.

Phil no podía mirarme, y me respondió desde detrás de mi cuerpo convulsionado, quieto allí sobre el suelo.

—Se suicidó. Saltó desde un edificio alto y aterrizó en un techo.

¡Llevaba ahí una semana!

Yo nunca más iba a ser la misma. Mi vida había cambiado para siempre; apenas podía respirar. Mi cara, aquella que usaba la máscara de "madre", estaba desdibujada por el dolor.

Cinco meses después, en julio de 1997, mi hija me dio un folleto del Centro de Retiros de Brahma Kumaris, en Baxter. Fui para estar a solas y comenzar una búsqueda de sentido. Ya tenía una noción de Dios, influenciada por mi formación católica, pero no había ido a misa en veinte años. Era 1997, yo tenía cuarenta y tres años y mi vida había cambiado para siempre.

Durante el retiro escribí en mi diario: "Me doy cuenta de lo precioso que es mi mundo interior. Siempre pido que Dios se me manifieste en algo externo, pero a medida que me voy conociendo comienzo a ver que Dios está dentro de mí".

Aprendí meditación Raja Yoga. Pregunté "¿quién soy?" y "¿quién es Dios?" durante los años siguientes, en los que asistí a varios retiros de fin de semana.

Fui volviéndome más atenta y capaz de aceptar el cambio, sin intentar controlarlo. Eso me convirtió en una observadora, y me conecta con un plano superior. Reconozco el ser de mi alma. Yo no soy mis sentimientos ni mi cuerpo. El camino hacia un estado superior está tapado de obstáculos y, a veces, me seduce el mundo externo.

A principios de noviembre de 2003 asistí a mi primer fin de semana de la Quinta Cara de la Mujer. Resultó ser una experiencia extraordinaria.

La noche del sábado nos invitaron a hacer pulseras con cuentas de colores, con un color para cada uno de los Ocho Poderes. Trabajamos en el comedor, en mesas de nueve personas, cada una anudando sus cuentas junto a una mujer que ataba la cuerda para hacer la pulsera. Yo había escogido el color rojo, el del poder de Afrontar. Anudé muchas, muchas cuentas rojas esa noche, y disfruté con las sonrisas, el silencio, una que otra palabra, y la calidez de las demás mujeres.

El domingo antes de almuerzo, durante la última sesión, nuestra guía, Caroline Ward, nos dio las instrucciones para la tarea final: debíamos elaborar una representación simbólica de la Quinta Cara, Shiv Shakti. Debíamos ir afuera y lanzar a una pequeña fogata un papel que tuviera escrito qué queríamos cambiar y qué dejar morir, y así prepararnos para la resurrección de nuestro propio ser. Deseaba muchísimo experimentar algo así. Quería entregarme a Dios.

Mientras realizábamos la tarea, Caroline puso música para acompañarnos. Era una colección de *world music* del grupo Deep Forest, un disco llamado *Deep peace* (Paz profunda). De inmediato me hizo llorar de un modo incontrolable. Era uno de los discos favoritos de Dylan, y yo se lo había comprado para la Navidad previa a su muerte. Desde entonces no había vuelto a escucharlo.

Mi corazón estaba que se rompía. Lo extrañaba tanto. Con los ojos llenos de lágrimas salí hacia afuera con mi papel y lo tiré a la fogata, el crisol. Me moría con la pena profunda de mi angustia y estaba lista para enfrentar el secreto de todo ese dolor.

La sabiduría

Los atributos principales de este poder son la valentía y la honestidad. Para la Shakti, el poder de Afrontar significa que no hay nada demasiado atemorizante, pues está equipada con todos los poderes necesarios para enfrentar lo que venga: miedos o emociones arrebatadoras, dudas sobre uno mismo, problemas familiares, ataques personales o profesionales, obstáculos, o varias situaciones que podrían parecer irremontables.

El poder de Afrontar es la capacidad de acoger incluso las situaciones más difíciles, sabiendo que uno tiene el poder de transformar lo que sea que se presente. En la práctica, significa que Shakti sabe que "lo que está en el camino… es el camino". Que el solo hecho de nombrar un futuro diferente hará que emerja una serie de reacciones de otros y de tu propia psiquis. La resistencia, el boicot, el enojo, el miedo, la ansiedad y la negación se manifiestan de muchas maneras, tanto en mí como en los demás. Sin embargo, una vez que las enfrento y resuelvo, Shakti tiene un camino con una huella clara hacia adelante.

El poder de Afrontar no deja que nada se oculte. No acoge nada oscuro ni reprimido. Es el poder que saca a la luz del día aquello invisible que pudiera amenazar el inicio de un nuevo camino. No es agresivo, pero sí asertivo y poderoso.

El arquetipo Shakti: la diosa Kali

Para Shakti, el poder de Afrontar está representado por Kali, pues al volver a la inocencia original del ser y del mundo debemos sacarnos de encima muchos demonios. Hay que destruir todos aquellos monstruos de pretensión e ilusión que cubren el alma y la mantienen lejos de Dios y de su inocencia eterna.

El poder de Afrontar es despiadado y en ningún modo se acomoda a los obstáculos, sean internos o externos. Esta diosa es por completo temeraria. El collar de calaveras que lleva al cuello es para desafiar a la muerte a que la asuste. Porque no siente miedo, no puede ni podrá dejarse engañar por la ilusión. Se yergue sobre una base de Verdad (el dios Shiva) y carga la Espada de la Ilusión que simboliza el uso del conocimiento y la sabiduría en su tarea.

Este poder destruye todos los obstáculos. Aquí no hay piedad, y Kali carga la cabeza degollada de un oponente para demostrar que ningún monstruo la pasará a llevar. En la mitología, ella incluso debió beber la sangre de un demonio para detener su multiplicación con cada gota que caía a la tierra. Kali no se detendrá ante nada para desterrar el mal de ella y del mundo.

Ya no acepta ni permite que el mundo actual la disminuya por su falta de valor. Erguida, fuerte y atrevida –y, sin embargo, sin ego–, demuestra que tal como cualquier otra fuerza destructiva, no tolerará más que no se la tome en cuenta. Mientras regresa a su propia inocencia, su poder de Afrontar carga el mundo con ella. Jamás aceptará ilusiones ni falsedades; tampoco ego, codicia, lujuria, apego, celos ni ira. Ni en ella ni en los demás. Su poder es el de afrontar el mal en sus formas más abiertas, insidiosas y tentadoras, pero sin siquiera permitir que la toque.

La distorsión

Cuando este poder pierde su pureza, obviamente se vuelve violento, destructivo y dañino. La asertividad se transforma en agresión, y el afrontar puede volverse una reacción ciega. Entonces este poder se convierte en una herramienta de supervivencia, en un guerrero que lucha por seguridad emocional, física y psicológica, y que usa la fuerza para protegerse sin darse cuenta del daño que causa a los demás. El desafío extra que un daño así produce es que genera una avalancha de karma. Cada acto tiene una reacción opuesta y equivalente. Cosechas lo que siembras. Es difícil ser amable y cariñosa con una persona desagradable…; es posible, pero si la estrategia de supervivencia de nuestra seguridad es protegernos y defendernos, es muy poco probable que recibamos de vuelta un chorro de amor.

Por eso, cuando declaras una guerra debes asumir a los enemigos que te creas. La energía que envías volverá para atacarte. Entonces volverás a usar el poder de Afrontar del mismo modo distorsionado, causando más turbulencia kármica. Y el ciclo continuará.

La Cara Moderna es en particular cercana a esta distorsión. La Cara Tradicional usa la energía del tirano, del dictador.

Las virtudes

- valentía
- confianza
- determinación
- propósito claro

La meditación

No puedo hacerlo todo sola. Nadie puede. Pero cuando estoy clara y bondadosa y actúo con valentía, de algún modo la vida funciona. Surgen oportunidades. Se producen sincronías. Y todo lo que debo hacer es... mi parte.

Del mismo modo admirable como las abejas trabajan juntas en la Naturaleza —cada una cumpliendo su parte, con sus habilidades y talentos particulares—, también yo soy capaz de apoyar a otros y que otros me apoyen. En ese dar y recibir se desenvuelve la vida y yo satisfago mi destino.

La historia

Tracey es una mujer fantástica. La conocí apenas un fin de semana pero dejó en mí una impresión que aún persiste. Ella es brillante, y honesta y valiente. Durante todo ese fin de semana de retiro compartió muy abiertamente y aportó al grupo una energía gozosa. Era más extrovertida que las demás, pero para nada dominante. Era adorable y divertida.

Al final del retiro tuvimos un rato para compartir entre nosotras. Muy abierta y cálidamente, Tracey dijo que sentía que lo que había experimentado ese fin de semana era lo que había estado esperando. Sabía que algo así le llegaría, y se había mantenido despierta y alerta para cuando apareciera. Ese fin de semana lo encontró. Me preguntó qué opciones tenía de seguir explorando y estudiando con mayor profundidad la sabiduría y espiritualidad que la había envuelto. Estaba lista para responder a las señales y cooperar con su destino.

Quiso, además, compartir otra parte de su poder de Cooperar. Hubo un momento en que comenzó un diálogo sobre los compañeros, esposos, novios y eso; aquellos que no entendían de qué se trataba todo esto. Una mujer contó que había tenido que dejar a su esposo. Recuerdo que otra se manifestó muy inquieta de que algo así pudiera ocurrirle a ella. Algunas comenzaron a discutirlo y otras permanecieron en silencio, observando desde sus propios pensamientos privados. Entonces Tracey preguntó si acaso podía compartir algo.

Contó que estaba en su segundo matrimonio. El primero había terminado cuando su esposo, el padre de sus hijos, al fin reconoció que era gay. No sé si contó o no qué había significado para ella algo así en ese momento, pero dijo que había llegado a aceptar (otro poder) y hasta a ser capaz de cooperar con la opción de su esposo. No se lo tomó como algo personal. Sabía que él la amaba y ella a él, y que ambos amaban a sus hijos.

Luego Tracey volvió a casarse. A medida que exploraba en su espiritualidad notó que iba dejando atrás a su segundo esposo. Él no parecía interesado en lo que ella hacía, y a ella ya no le interesaban las cosas más mundanas e insignificantes que ocupaban la atención de él.

Mientras hablaba, me fijé en las demás mujeres. Yo no sabía hacia dónde iba su relato, pero vi cómo la facción "abandónalo" asentía con entusiasmo, y la facción "no lo abandones" esperaba con la respiración agitada.

"Yo sabía que necesitaba avanzar, pero luego pensé qué injusto era de mi parte juzgarlo a él como inepto e inmóvil. Decidí [otro poder] que necesitaba darle la oportunidad de elegir. Y entonces me senté un día con él y le dije que mi mundo había cambiado, que ahora había otras cosas importantes para mí, y que me encantaría que él quisiera ser parte de eso porque yo lo amaba; pero que de todos modos ya no había vuelta atrás."

Tracey dejó a su esposo para permitirle reflexionar.

"Debo admitir que me sorprendió. Volvió y me dijo: 'Sí, hagámoslo'. Todavía estamos juntos, felices, y evolucionamos en una relación renovada. Quizás a los hombres de su vida sólo deban darles la oportunidad. Quién sabe si alcancen la meta y las sorprendan también a ustedes."

La sala quedó en silencio. La verdad era contundente. Realmente Tracey le había aportado al grupo su poder de Cooperar. Había invocado esa energía o poder con su esposo, pero ahora también con todas las mujeres de la sala que enfrentaban situaciones similares; e incluso con todos los hombres en las vidas de esas mujeres y con los hijos nacidos de esas relaciones.

Éste es un poder hermoso que libera, remueve obstáculos, brinda esperanza y posibilidades, y permite que fluya la energía.

La sabiduría

Cuando nos dirigimos hacia un nuevo destino, es evidente que necesitaremos ayuda. A medida que se evoluciona en el trayecto espiritual, uno se va volviendo más poderosa y menos necesitada, y entonces es capaz de abandonar el individualismo que es hoy el paradigma de la Humanidad. Aunque el trayecto espiritual es sobre todo algo que tiene ver con el propio Ser –la autorrealización, el respeto por uno misma, los logros personales–, su foco no es para nada egoísta, porque a medida que cada uno se va fortaleciendo más le interesa ponerse al servicio de los demás. Bajamos la guardia, confiamos más. Damos más y en mayor cantidad. La avalancha de energía atrae una retribución. Es ésta la verdadera naturaleza del hecho de estar en relación con la vida, con los demás y con la Naturaleza: compartir espontáneamente energía positiva a través de pensamientos y sentimientos y acciones, pero también la expresión material de todo esto (dinero, servicios prácticos)... y recibir la retribución de todo ello.

Éste es el poder que sabe que puedo celebrar el éxito ajeno como si fuese mío. Es el poder que comprende que la energía del éxito es el flujo y reflujo de la cooperación humana, de la delicada energía de un pensamiento puro, de los buenos deseos y de la acción.

Éste es el poder que me exige cooperar con mi intuición y mi saber interior. Éste es el poder que me exige cooperar con las profecías y sincronías de la vida, aquellos signos que podrían activarme de acuerdo a una dinámica de acción más fructífera con la que alcanzar mis sueños.

La cooperación es el llamado de esta época. Se nos convoca a compartir nuestros regalos y lo mejor de nosotros mismos con el fin de alcanzar un verdadero cambio de conciencia en el mundo actual. Cuando estamos alineados con nuestro poder —es decir, con nuestra verdad individual—, estamos en armonía con nuestra seguridad y nuestra fuerza y podemos sentir cómo se revela nuestro propósito. Se nos pide que cooperemos con la Humanidad y con la tarea divina de la transformación. Ésta es la tarea final de Shakti, su regalo más importante: revertir la atracción del ego, soltar la idea de lo que pensaba que debía ser, tolerar los desafíos que le plantean los cambios, aceptar su destino, distinguir su camino, decidir cómo avanzar, enfrentar sus dudas internas, sus miedos y su autoboicot para seguir avanzando en ciclos por estos poderes a medida que coopera a diario con el plan invisible del Gran Cambio de Época.

El arquetipo Shakti: la diosa Laxmi

La diosa de la riqueza, Laxmi, es el arquetipo del poder de Cooperar. Simboliza gran belleza y armonía. Unidad. Está rodeada de flores de loto que representan no sólo la belleza sino también la pureza y el desapego. Su motivación de cooperar es siempre pura y no está atada en lo absoluto al resultado de su aporte, y tampoco requiere adueñarse de la tarea en marcha. Su rico tesoro es la abundancia en permanente desborde. Lo que tenga lo comparte con alegría, y al hacerlo no reparte sino que permite que la gente tome lo que quiera de su reserva.

Su prosperidad también deriva de su capacidad de cooperar y de fluir con los regalos del universo. Cuando Shakti pone en movimiento la transformación, el universo responde a su llamado y le envía señales en la forma de coincidencias y oportunidades. A veces estas oportunidades están cubiertas por el traje de la pérdida, pero de ese nuevo espacio nace la abundancia. Cuando se despeja lo antiguo, surge espacio para lo nuevo.

La distorsión

En un modo de supervivencia, sin la sabiduría para entender cómo satisfacer nuestras propias necesidades a partir de nuestro interior y de Dios, buscamos satisfacerlas a través de diferentes estrategias, lo que incluye complacer a la gente. Ser en extremo cooperadora es una enfermedad: anteponer las necesidades ajenas a las mías. Dar dinero a otros cuando no tienes suficiente para ti. Dar a otros tiempo cuando no puedes poner orden en tu propia vida. Ayudar siempre en los proyectos de otros mientras tus proyectos van disolviéndose en un pasado lejano, sin jamás haberse realizado. Dejar que los demás tomen de ti lo que quieran, dejándote vacía y sin recursos.

Cuando venimos de la Cara Tradicional, sin consideración por uno misma, anteponemos las necesidades ajenas a las nuestras porque en nuestro subconsciente creemos que eso nos traerá aprobación, amor, pertenencia, seguridad.

En la Cara Moderna, podemos cooperar con quienes parecen ir en ascenso en su pionera rebeldía contra el sistema. Éste puede ser nuestro boleto a la libertad, pero no nos damos cuenta de que quedaremos atrapados en su nueva tradición, sus reglas, sus maneras. Nada cambiará.

Las virtudes

- respeto
- honestidad
- armonía
- generosidad

Conclusiones de la primera parte

El camino hacia el empoderamiento personal es resultado de un esfuerzo consciente por despertar y mantenerse alerta. Es prestar atención, comprender y aprender sobre la propia capacidad para transformar nuestra vida.

Podemos emprender un camino hacia la recuperación del alma. Durante el trayecto conoceremos viajeros como nosotros que pueden proporcionarnos buenas lecciones. Pero el camino hacia el hogar del Ser es individual.

El empoderamiento espiritual es diferente del desarrollo o el empoderamiento personales, pues nos exige ejercitar el arte y la ciencia del silencio. Implica que existe otro ámbito, una dimensión más allá de lo material en la que podemos encontrar las respuestas a nuestras preguntas más profundas.

El empoderamiento espiritual busca comprender nuestros sistemas de energía y de poder, aprender un modo de abastecimiento y rejuvenecimiento personal y social, entender las delicadas leyes y causas de nuestro mundo. Nos acerca a lo invisible, y nos lleva a nuestro interior para encontrar las respuestas y conectarnos con la fuente del poder que nos mantiene en el viaje, despejando cualquier condicionamiento y aportando coraje al esfuerzo.

Si queremos dar con el camino hacia nuestro ser más bello y poderoso, debemos primero entender qué es lo que nos frustra de nuestro rumbo. El hábito de una identidad equivocada, de creer que "yo soy mi cuerpo", nos limitará. Caeremos inconscientemente en aquellas falacias tan difundidas sobre las mujeres, aquellas que nos detienen, nos contienen, nos sobrepasan, nos subestiman y nos oprimen. Si hemos de regresar a un ser empoderado, y durante el proceso ayudar a que otros también lo hagan, entonces debemos encontrarnos una nueva identidad, una identidad que nazca de este tiempo, el tiempo de la transformación mundial.

Shakti es esa identidad. ¿Puedes imaginarte como una diosa, un ser divino, un instrumento de Dios? ¿Por qué no? Si escuchas profundamente dentro de ti y te preguntas ¿por qué estoy aquí?, ¿cuál es la respuesta?

Como Shakti puedes crear nuevas leyes, tener un cargo influyente y ser próspera en lo económico sin tener que robarle su poder a nadie. Habrás aprendido el modo de regenerar el poder que hay dentro de ti, forjando una alianza con el único Ser que tiene una energía ilimitada para compartir. Durante el proceso te darás cuenta de que existe suficiente para funcionar y compartir, y por eso tratarás a otras mujeres –también a los hombres– sin temores ni sensación de amenaza, compartiendo con ellas lo que sabes. Querrás que también ellas estén espiritualmente empoderadas, convirtiendo así tu vida en un mundo de contribución y prosperidad, de dar y recibir.

Como Shakti contarás con los poderes prácticos para crear un nuevo camino; para sostenerte a ti misma, tolerar y enfrentar cualquier obstáculo que aparezca; para sentirte segura y capaz de tomar decisiones; para abandonar las viejas inseguridades y participar en plenitud de la vida compartiendo tus talentos y habilidades, aprendiendo de los demás.

Es un modelo nuevo; no de aquellos que disminuyen al otro para fortalecerse a sí mismos. Es, más bien, un modo que nos capacita a todos. Es un camino de esperanza para nuestro mundo.

SEGUNDA PARTE

Sobre los hombres

Este libro está escrito sobre todo para mujeres, pues ésa ha sido mi cancha de juego en la vida. Sin embargo, así como no soy una experta en mujeres, por cierto tampoco soy una experta en hombres. Aquí sólo están mis experimentos, mis curiosidades, mis divagaciones. Habiendo aclarado este punto, lo que quería decir sobre los hombres es lo siguiente.

En nuestras culturas patriarcales e industrializadas a los hombres también les toca duro. Mientras las mujeres llevan más de un siglo en un camino de liberación, es sabio tener en cuenta que, aunque suele parecer que los hombres tienen todo el poder y los beneficios, no es así.

A los hombres se los ha condicionado y acostumbrado a muchas experiencias que no son sostenedoras ni sostenibles. Heredaron el contrato del proveedor, del protector, del héroe, incapacitado para llorar o mostrar sus emociones. Hace poco leí un informe sobre la última noche del *Titanic*. ¿Por qué eso de "mujeres y niños primero"? ¿Son los hombres tan dispensables? O quizás sea sólo la supervivencia de la especie. Se supone que los hombres son valientes y las mujeres, tímidas. Las mujeres han superado en gran parte este estigma, pero los hombres todavía cargan el deber del héroe, del éxito en el mundo. ¿Qué pasa si simplemente no se la pueden? ¿O no pueden soportar el miedo o la realidad del fracaso? ¿Qué hacen? Niegan, evaden, anestesian una sensación que es demasiado dolorosa de aceptar. Bajo el miedo hay angustia, tristeza por la pérdida y desconexión. Pero a los hombres se les ha dicho que no pueden estar tristes, entonces se enojan. Una vez estaba con un amigo que me dijo que estaba pasando por el período de mayor enojo en su vida. Resultó que estaba enojado porque alrededor de la Navidad había pasado un mes exquisito en una isla tropical, paradisíaca, disfrutando de una temporada hermosa y equilibrada que incluía (aunque no era sólo) trabajo. Luego regresó a la fría, húmeda, gris y atestada Inglaterra. Estaba furioso. Le pregunté con que emoción se sentía más cómodo, si con el enojo o con la tristeza.

Por un momento pareció un poco asombrado, y luego respondió: "¡Enojo, por supuesto!".

Las mujeres esperan que los hombres sean estos héroes unidimensionales, incluso ahora, cuando hemos comenzado a decirles que también queremos que sean tiernos (sin embargo, tampoco deben serlo *demasiado*). Nos han condicionado para querer que los hombres nos cuiden, protejan y adoren, aunque ese deseo pueda existir en una dimensión subconsciente. Recuerdo cuando supe que Michael era "el hombre" para mí. Atrapé un pensamiento que pasó por mi cabeza: "Gracias, Dios: alguien que me cuide". Me impresionó mucho estar pensando así. Yo era moderna, independiente, una profesional exitosa de casi treinta años de edad.

A todos nos resulta desafiante el viaje de regreso a la propia integridad, pero quizás sea aún más para los hombres. El camino espiritual nos deshace. Cuando el ego se va muriendo, la sensación puede ser insoportable. Es un camino solitario, pero puede volverse más fácil de compartir si aprendemos de los demás durante el recorrido, y si de vez en cuando recibimos consuelo y apoyo. La naturaleza del hombre moderno es que está condicionado para ser una bestia solitaria (un león solitario, como dice un amigo). Así están: comprimidos por la camisa de fuerza de un ser unidimensional, yendo a diario a trabajar en sitios donde no se les permitirá sentir ni temer. Donde deben triunfar o hacer como que no les importa si no lo logran, para luego llegar a casa, donde les espera una mujer que les demanda que estén "más disponibles en lo emocional" para ellas.

¿Cómo?, me pregunto. ¿Qué significa para él algo así? ¿Por dónde empieza? La vida le ha enseñado a compartimentar su mundo para administrarlo todo de acuerdo al paradigma industrial. Y de la noche a la mañana esperamos que se convierta en un tipo abierto, cariñoso, generoso, pero que siga siendo un héroe. Y que no llore mucho, o comenzaremos a preocuparnos.

Luego nos sorprendemos de que haya tanta adicción y violencia. Los sentimientos se van reprimiendo con sustancias, sobreactividad, trabajo, sexo o lo que sea. La furia se proyecta hacia fuera, en vez de asumir la fortaleza interna. Me pregunto qué tan difícil será estar perdido y solo en una selva de cemento; conteniendo dentro un volcán de emociones porque el único sentimiento válido resulta ser la lujuria. La lujuria de poder, de sexo y de mayores logros.

Por supuesto que hay hombres que transitan por un camino espiritual; no tantos como mujeres, pero los hay. Y son destacables por haber descubierto un modo de avanzar, muchas veces, por sí mismos. Muy solos.

Si los hombres son quienes deben aprender a ser más gregarios, o las mujeres quienes deben ser más contenidas, el recorrido espiritual tiende siempre al equilibrio, a la armonización de nuestros recursos internos de energía complementaria, masculina y femenina.

Es importante recordar que nuestro recorrido espiritual será diferente, y que no podemos esperar que nuestros compañeros, hermanos, jefes o amigos viajen del mismo modo que nosotras. Como dijo Gandhi, debemos "ser el cambio que queremos ver". Debemos emplear lo mejor de nuestra intuición y cuidado para comprender y apoyar a los hombres alrededor nuestro, para que así intenten emprender una excursión de regreso desde la selva hacia su propio espíritu. Con tolerancia, paciencia, humildad y amor. Y entonces quizás ya no queramos comportarnos así. Quizás sintamos la necesidad de liberarnos de estar siempre vigilándolos. Quizás sea precisamente eso lo que hoy está pidiendo el mundo.

Luego de presenciar un retiro de las Cuatro Caras, un amigo que dicta charlas espirituales me comentó que sentía que las mujeres se movían con más rapidez, más profundamente y con mayor capacidad de absorber el entorno que los hombres. Que a lo mejor era función de las mujeres aprender y cambiar, para luego compartir eso con los hombres alrededor suyo. Considerando que, en general, los hombres no comparten "en grupo" asuntos de su mundo interior, esto puede ser cierto. Una de nuestras colegas en Chile está ahora diseñando una nueva sección para nuestros talleres de las Cuatro Caras, la cual trata de cómo la mujer puede compartir este trabajo con los hombres de su vida, y de cómo los hombres lo necesitan, aunque no de la manera en que nosotras creemos que deben recibirlo.

Es evidente que debemos avanzar juntos. Como sea, siento que nuestra función es avanzar hacia un espacio nuevo –un nuevo modo de ser, una nueva vibración– que se vuelva una opción atractiva. No se trata de "nuestro" modo *per se*; porque, por supuesto, existen muchos "nuestros modos", sino de un espacio que sea auténtico, integral, equilibrado y cariñoso. Tendremos un futuro como raza humana si es que podemos sostener con fuerza ese espacio.

La energía en las relaciones con los demás

Hoy se me hace difícil escribir.

Entiendo cada vez más sobre cómo la energía se preserva y se pierde, y que la alteración de las relaciones tiene su raíz en el intercambio de energía.

Anoche hablé con una amiga que está involucrada en una red de activismo político. Ella cree con firmeza estar en lo correcto y que es el régimen en el poder el que está por completo equivocado. Junto a sus compañeras ha creado una facción, que es sin duda un territorio del tipo "nosotros contra ellos". Las Caras Moderna y Tradicional están en la lucha.

Mi amiga cree sinceramente estar del lado de la bondad, de la verdad. Su corazón es muy generoso y bondadoso, y odia ver que se abuse de los demás. También comprende de qué se trata la proyección, pero no estoy segura de si puede darse cuenta de que es su propio dolor derivado del abuso aquello que la tiene tan dolida y enrabiada. Esta amiga es un personaje poderoso, y prefería enojarse antes que tener que admitir su propio dolor y vulnerabilidad…, lo cual es entendible. Sin embargo, comienzo a notar que el ser la salvadora de sus colegas está matando su espíritu delicado (aunque ella jamás lo admitiría). Mientras cree estar salvándolas desde el lado del bien, y es posible que sea cierto, su paz y felicidad están siendo violentadas.

Esta mañana estoy en contra de preguntar cosas como:

¿Cómo se puede ser activa y responsable sin perder la propia energía?

¿Cómo se puede ser la amiga confidente y cariñosa de alguien que ha caído en la ilusión del heroísmo, cuya energía se ha vuelto muy negativa y que me deja seca tras descargar su historia conmigo?

¿Cómo protejo mi propia energía?

Son los dilemas de la Cara Moderna. Los conozco bien. Aún mantengo el hábito de creer en las ilusiones y de poner en riesgo mi energía. Sin embargo, y aunque estoy atrapada en el antiguo esquema, al menos ahora lo reconozco.

Al escuchar anoche a mi amiga, preferí callarme y no intenté aconsejarla. La quiero, por supuesto, y cuando se está fuera de una situación pueden verse todo tipo de "mejores enfoques" que a uno le gustaría sugerir aunque sea por pura preocupación. Sin embargo, me limité más que nada a escucharla. Después de media hora o algo así, noté que mi sistema de energía se sentía muy disminuido. Sentí como si los bordes de mi "aura" se hubiesen adelgazado; como si hubiera un sifón inserto en mi fuente de energía, vaciándola. Intenté cambiar de tema, pero tras un par de minutos volvimos a la situación de mi amiga.

¿Qué hacer? Amo a mi amiga, quiero apoyarla, pero he pasado repetidas veces por esta historia a través de los años. Me di cuenta de que aún puedo amarla, pero que no tengo para qué cargar con su pesada energía o la energía de su historia.

La doctora Nirmala ha sido una presencia sólida en mi vida. Es una viajera espiritual hace cuarenta y tantos años, y su guía es siempre muy clara y limpia, y práctica. Una cosa que he notado con ella es cómo ha aprendido a administrar su energía. Como una líder espiritual, ella escucha innumerables historias de tormento interior, desafíos entre individuos de una comunidad, proyección personal. Ahora reflexiono en que su escucha es muy cuidadosa. Ella está totalmente presente para la persona que tiene enfrente, pero no asume ni carga la energía del relato. Siempre noto que se ofrece como un instrumento, no como una consejera. Se conecta con Dios y luego da "un paso al lado".

Uno de mis esquemas de supervivencia en el pasado ha sido ser "la rescatista". Las mujeres lo hacemos particularmente bien. Pero es un modelo codependiente que no tiene que ver de verdad con el rescate, sino con hacernos sentir "buenas" por el hecho de ayudar, mientras uno permite que otro adopte el estatus de víctima. Los rescatistas no pueden mantener su energía estable. Por la propia naturaleza de los modelos de salvataje, uno se enreda en los relatos ajenos. No existe lo del "paso al lado", y antes de que nos demos cuenta, y si no hemos sido cuidadosas, habrá una sombra también sobre nuestro mundo.

Fue eso lo que me sucedió anoche. Por astuta que intentara ser, la historia me atrapó. Terminé la larga conversación y seguí pensando en mi amiga. Una cosa es ser una amiga preocupada y cariñosa; otra es entrar en la oscuridad siendo que mi rol es sostener la luz.

Entonces, ¿cómo hago para sostener la luz y no parecer apartada, en un plano superior, imparcial o despreocupada? Podría haber empleado el secreto de la doctora Nirmala, de escuchar como un instrumento, claro. No es mi trabajo salvar a esta amiga; sólo Dios puede en realidad curar el profundo dolor que le causa esta reacción intensa.

Como suele suceder en las relaciones, una persona toma la energía y la otra la provee. En este caso, yo estaba proveyéndola a costa mía. Si hubiese estado conectada con Dios, escuchando con bondad pero sin "interés" en los detalles, hubiese mantenido mi propio bienestar y me hubiese asegurado de estar contribuyendo con la mejor energía posible a la situación.

Cuando se le incorpora a la situación una energía pura, se altera el modelo establecido; a veces, lo suficiente para permitir que la luz se difunda en circunstancias nuevas y por descubrir. Dar consejo desde una conciencia de rescate impide que emerja algo más alto, sabio y limpio.

Así es que hoy me estoy recuperando de una "resaca del héroe". Siento mi energía dañada y, aunque me senté esta mañana a meditar, sigo pensando en esa situación y en otra muy similar con la que me encontraré hoy.

Se vuelve a reconocer la necesidad del desapego cuando uno de verdad quiere ser una amiga cariñosa y disponible para el trabajo de Dios.

ME ENAMORÉ EN PARÍS

Fui a Europa el año 2005. Primero a Polonia, Lituania y Austria, y luego a Francia. Había estado antes en Gran Bretaña, pero nunca en el continente. Durante todo el 2004 sentí como un "tirón" desde París. No tenía ningún plan de ir, pero de algún modo algo me atraía hacia allá.

En octubre de 2003, en India, conocí a Halina, que es polaca. Halina decidió que yo debía ir por un mes de visita a su país y ofrecer allí las Cuatro Caras, y también en Austria y Lituania. Como iba a estar en Europa, decidí que era la oportunidad para descubrir qué quería París de mí. Pasé un rato en internet y encontré un departamento en el tercer *arrondisement*, en el distrito de Marais. Estaría allí durante junio y el clima estaría estupendo.

Desde Austria fui a visitar a mi querida amiga Valeriane en Ginebra. Uno de los puntos altos fue cruzar la frontera de los Alpes franceses y hacer un picnic en la primaveral ladera del cerro, oyendo los cencerros de vacas distantes y contemplando el grandioso Mont Blanc coronado de nieve. Luego partí en tren a Grenoble, donde me quedé unos días en el centro Brahma Kumaris. Y de allí, a la excitante París. Valeriane llegó también a París; ella había nacido y crecido allí, y me llevó a visitar sus lugares favoritos. Pequeños cafés con viejos amigos que conocía hacía más de treinta años, y que nos sirvieron con acogedoras sonrisas un fantástico café. Para mí, que cargo con un frustrado francés de secundaria, era un regalo. Pasamos un rato con la madre de Valeriane, Séverin, una notable y fuerte parisina: alta, atrevida, directa y acogedora. Su departamento estaba en el segundo *arrondisement*, justo en el corazón de todo.

Luego de disfrutar de su compañía algunos días, Valeriane se fue y me quedé sola. Vagué por las calles, disfrutando de la maravilla de una cultura tan diferente. Haciendo pausas aquí y allá para un café, sentada al sol, admirando las hermosas esculturas y observando caminar y comer a gente muy bella. Era un momento de mi vida en que me sentía muy lejos de estar bella. Me había golpeado tres veces el pie en el mismo lugar y luego dejé caer sobre él una maleta.

Me sentía agotada con tantos traslados por Europa; y, por supuesto, ¡no podía ponerme en orden el pelo! Pero, bueno, no había ido a París para competir en un concurso de belleza. Sólo cargaba con mi sencillo ropaje espiritual y un ridículo sombrero rosado.

Comencé a notar que retornaba a mí una vieja sensación: la de sentirme apartada, de no pertenecer, de querer ser parte del grupo de los bellos. Me di cuenta de que estaba viéndome a través de los ojos de otros, y juzgaba con mucha dureza lo que veía. Era más que probable que nadie me estuviese mirando, lo cual, por supuesto, ¡era aun peor! Hacía tanto tiempo desde la última vez que había estado en una situación así. Tanto tiempo desde que perdí mi centro para construirme a partir de la proyección de una referencia externa. Y era deprimente. Sentí que volvían esos viejos sentimientos de desesperanza y desprecio por uno mismo. Mi confianza y felicidad se evaporaron, y comencé a pasar más tiempo comiendo pan y queso en aquello que se volvió un solitario departamento. Sé que suena trágico, pero todo es un asunto de grados. Durante años había logrado ser tan fuerte como para no compararme con los demás, y había olvidado lo horrible que eso me hacía sentir. Allí estaba, en París, a la espera de una temporada romántica. ¡Y lo que experimentaba era cualquier cosa menos un sentimiento romántico!

Tuve que volver a esa antigua pregunta, la única que brinda solaz en este camino espiritual: ¿quién soy?

Me pregunté: ¿cuándo es que estoy activa en mi vida? ¿cuándo es que soy por completo auténtica? ¿cuándo es que todo fluye, que estoy "en" mí totalmente? ¿cuándo no siento ninguna necesidad de control, porque confío en que todo está en orden y que hay en juego algo más grande que yo misma? ¿cuándo hay magia y todo lo que hago es "ser"?

Estas preguntas me llevaron a los momentos en que soy así. Resultan ser, la mayoría de las veces, aquellos en que me encuentro dirigiendo las Cuatro Caras. No siempre, pero la mayor parte de las veces es entonces que me conecto absolutamente con mi propia verdad.

De modo que sólo atravesé el tiempo y el espacio, hice converger todas las épocas y entonces planté mi atención y a mí misma en el centro de la experiencia.

Ahhhhhhhhh…, ahí estaba de nuevo. De vuelta en mí. Centrada. En mi propia y pura energía. En un nanopensamiento, ahí estaba Dios. El encuentro de pura energía divina con pura energía divina. Y me vi y me sentí a mí misma desde la perspectiva divina.

Y me enamoré. Me enamoré de mí, de la belleza de mi propia eternidad. Yo era exquisita.

En ese momento dejé el departamento y caminé por las calles de París. Como por milagro, mi pie estaba bien. El día estaba soleado; había multitud de personas cuando crucé el Sena. Me sentía tan hermosa. Aún apreciaba la maravilla de la ciudad y su gente, pero ya no había ansiedad. Estaba saciada. Me había nutrido de la totalidad de mi propia historia y energía. No sentía miedo, ni la más mínima incertidumbre. La gente se detenía y me hablaba, los niños se me acercaban, los fanáticos del fútbol me alentaban. Todo lo que hice fue ser yo misma.

En un momento me detuve para sacar algo de mi bolso. Una niña se acercó a conversarme. Éramos las únicas en un pasaje. Ella era una estudiante que había emigrado con su familia desde el Medio Oriente. De pronto se agachó y tomó algo junto a mi pie.

—¿Es suyo? —me preguntó.

Era una argolla de matrimonio de oro sólido.

—No es mía…, parece que ahora es tuya.

—Oh, no. Yo soy musulmana, no puedo llevar esto a casa. ¡Mis padres me matarían! Tome, es para usted. *Au revoir.*

Y se fue.

Me gustan las señales. Y algo me había jalado magnéticamente durante un año hacia ese lugar. Sabía que sucedería un romance, podía sentirlo. Y ahí estaba. Había venido a París para enamorarme. Lo había hecho y, al fin, la guinda de la torta era la argolla que simbolizaba la unión divina. Como diría mi amiga Angélica: "¡¡¡Guuuuaaaaaaooooo!!!".

Algo sobre el miedo

Si hemos de ser honestos, muchas de las decisiones que tomamos están dominadas por el miedo, por algún tipo de miedo. Ya sea un leve nerviosismo, estrés, ansiedad o terror absoluto, el miedo está, por desgracia, siempre presente en nuestras vidas. Y no debiese sorprendernos darnos cuenta de que no es algo bueno para el alma ni para ninguna de nuestras relaciones personales, posesiones, funciones ni responsabilidades. El temor distorsiona nuestra perspectiva. Nos hace perder objetividad, claridad y capacidad para pensar con inteligencia. Es un fenómeno tanto psicológico como espiritual.

La otra noche estaba yo a punto de acostarme, en la casa de playa donde he estado escribiendo. La encantadora casita de madera color chocolate y marcos de ventana azul cobalto está encaramada cerca del borde de un acantilado que bordea el océano Pacífico. Era una noche de mucho viento, que hacía que la casa crujiese y las ventanas temblaran; aunque también vibran cada vez que una ola golpea la roca que está justo debajo. Cuando era niña solía tener pesadillas recurrentes con altas mareas, maremotos, tsunamis y cosas así. Estaba embrujada por el Pacífico, y fue ése el océano que conocí de pequeña en Sydney, en la costa Este de Australia.

Ahí estaba: sola en Chile. Sin teléfono. Sin hablar castellano. Sólo yo y mis pensamientos y sentimientos. Y la oscuridad. Hacía poco había habido luna llena, pero esa noche estaba nublada y no podía verse mucho, lo cual hizo que se me agudizara intensamente el sentido del oído. Cada sonido se amplificaba. Mi visión interna trabajaba a toda máquina. Podía ver agua sobre la cima del acantilado, escurriendo sin piedad hacia la terraza, elevando su ser violento frente a las puertas de vidrio y botándolas con un estrépito desafiante. Admito que en las últimas 36 horas gasté gran parte de mi energía pensando en una vía de escape. Si acaso estaría en el dormitorio, la sala o la cocina cuando golpeara la gran ola; si acaso sería de noche o de día… y si yo estaría preparada. ¿Qué salvar?

Lo principal era el computador. ¡En esta época y a esta edad mi computador tiene "mi vida" almacenada!

Así es que ahí estaba yo: pensando, imaginando; escuchando en el embate turbulento, mortal y aterrador del agua los sonidos más agudos y gráficos que había oído en mi vida. Y no quería morir: al menos, no de un modo violento y aterrorizado. Me tendí sobre la cama, junto a mi computador; con las llaves de la puerta trasera encima de éste; mis zapatos y un cálido chal listos para un escape veloz. En mi mente el agua era vasta, y las olas, inmensas; cada sonido aumentaba mi tormento mental, haciendo resurgir imágenes de esos sueños de tanto tiempo atrás. Estaba literalmente temblando. ¡Paf! Otra ola. Mi corazón martillaba. Me decía a mí misma que todo estaba bien, que sólo era mi imaginación, que bajo la nebulosa luz de luna podría ver cómo las olas rompían a una distancia considerable, y que el estruendo no era más que el golpe del agua contra las rocas. De verdad que intenté razonar conmigo misma. Jamás antes había experimentado un terror que descontrolara tanto mi cuerpo. Allí y entonces pensé que si no moría esa noche (y sospechaba que no sería así), abandonaría al día siguiente esa casa para siempre. No tenía sentido someter mi sistema nervioso a algo así todos los días de la siguiente semana.

No sé cómo, pero creo que me quedé dormida después de la medianoche. Sentía dolor en los músculos de las piernas y la espalda por la intensidad de la adrenalina que los bombeaba, luego de haber recibido de parte del cerebro el mensaje "prepárense para arrancar".

Por supuesto que al día siguiente desperté con una mañana preciosa. El mar estaba tranquilo —aunque todavía ruidoso—, y las únicas pistas del terror de la noche anterior eran el computador y las llaves junto a mi cama.

El subconsciente no descansa

Miedo. Terror. ¿Cómo? Por supuesto que hay veces en que éste corresponde a una advertencia real. Otras veces, nos la inventamos. Algo en el ambiente externo gatilla un recuerdo interior. Puede ser algo reconocible, o algo muy sutil de detectar (como una fragancia al pasar, o la sensación de la brisa sobre la piel); un sonido lejano que normalmente sería común e inofensivo, pero que junto al ángulo del sol sobre el tejado... ¡paf!, dispara un recuerdo. Y si tenemos algo así como sesenta mil pensamientos diarios, y no somos capaces de darnos cuenta más que de doscientos, es probable que durante gran parte del día estemos generando de modo inconsciente pensamientos y sensaciones/emociones basadas en el temor.

Cuando hay un trauma en nuestro pasado –aunque sea algo que parezca tan insignificante como haber sido reprendidos en clases por no hacer la tarea–, o si hemos fijado en el subconsciente imágenes o tramas de películas de terror; o si nos sentimos inseguros, en el sentido de estar apegados a cualquier cosa de un modo que hace que nuestra sensación de seguridad dependa de ese apego; entonces estamos destinados a ser víctimas del miedo. Estímulos externos gatillan recuerdos internos, generando pensamientos y sensaciones/emociones que crean un imaginario F̲uturo E̲vento de A̲pariencia R̲eal [FEAR: "miedo" en inglés]

Es algo diferente a la intuición, que nos permite avistar signos más sutiles y, algunas veces, incluso recuerdos del futuro. Algunas personas cuentan con una aguda intuición a su favor. Pero cuando el miedo domina, lo consume todo, incluidas las capacidades intuitivas.

La respuesta al estrés, un estado fisiológico

El estado fisiológico que genera el miedo es lo que se conoce como Respuesta Sistémica al Estrés. En esta situación, el cuerpo entra a una modalidad de "lucha o arranca", que significa que los músculos se llenan de adrenalina para combatir o correr; la respiración se debilita y el cerebro se reprograma en el canal de supervivencia, el sistema límbico. Esto significa que uno puede arrancar descalza de un maremoto, y en el camino cortarse el talón a carne viva sin siquiera sentir dolor. Una noche vi un caso notable en un noticiario. Un jugador de fútbol americano se había herido la rodilla y tenía la mitad de la rótula colgándole por la pierna. Con rivales detrás suyo, el hombre corrió por la extensión casi completa de la cancha para marcar un *touchdown*. Sólo entonces se dio cuenta de que tenía la rodilla abierta, y recién ahí comenzó a sentir dolor.

La Respuesta Sistémica al Estrés es útil para aquello para lo que fue diseñada: permitirnos sobrevivir en ambientes hostiles que ponen en riesgo nuestra vida. Sin embargo, muchas de nosotras vivimos en un estado de supervivencia constante, nos sentimos amenazadas y tomamos nuestras decisiones a partir de grados diversos de temor. Esto lo confirma el dato de que los ansiolíticos están entre los tres medicamentos de mayor venta en el mundo.

¿Es el miedo de verdad tuyo?

Durante una consulta, una de mis clientas me describió cómo abandonó una reunión con su jefe debido a una fuerte opresión en el plexo solar. Cada vez que pensaba en la reunión, volvía a sentirla. Le pregunté qué era y me respondió que no sabía. Entonces le hice una pregunta muy extraña, pero ella ya está acostumbrada a mi estilo y me siguió la corriente:

"¿En qué lugar de tu 'espacio' –eso quiere decir dentro y alrededor de tu cuerpo físico– se ubica para ti el lugar de la *claridad*?".

Pensó –o más bien sintió– por un rato, y luego se tomó las manos frente a su pecho, como a un brazo de distancia. Entonces le pedí que tomara con las manos la sensación de su plexo solar y la ubicara en ese espacio de claridad. Ella es fantástica, la verdad. Aunque ahora tiene un alto cargo en una gran organización, está completamente abierta a cualquier cosa que le ayude a liberarse de creencias, pautas o comportamientos limitantes; y siempre se interesa en aprender nuevas herramientas y estrategias que le permitan convertirse en una gran líder y mejorar el mundo.

Así es que lo hizo. Y mientras lo hacía, exclamaba: "¡Dios mío! Éste es el miedo de él". Pudo ver con claridad que en aquella reunión en la que había logrado con bastante éxito dirigir una revolucionaria nueva relación con un adversario tradicional, su jefe había comenzado a sentirse amenazado, por ella, por su presencia. La sensación que ella absorbió en esa sala y que aún podía sintonizar era el miedo de su jefe. Tras la consulta, decidió que tampoco él lo necesitaba, y a través de una nueva estrategia tomó la energía y la "soltó" hacia una energía universal mayor y sanadora. Todo esto me suena extraño y disparatado incluso a mí. Pero funcionó. Su jefe ahora se siente muy seguro con ella y, desde entonces, ascendió a un cargo al que él la recomendó como su reemplazante, lo cual la convertirá en una de las líderes de esta organización de treinta mil empleados.

Aprende a acoger el miedo

Al miedo hay que enfrentarlo, incluso acogerlo. En 1999, tuve lo que luego fue diagnosticado como una serie de pequeños derrames. Usando medicina tradicional china, mi doctor trabajó conmigo en un plano espiritual y con acupuntura y varias otras cosas para fortalecer mi organismo. Lo que descubrimos fue que cada vez que yo me enfrentaba a un conflicto, tendía a retroceder, anular mi energía y cerrarme. El miedo que me producía la ira ajena –y, sin duda, también la mía– estaba debilitando mi energía cardiaca. El doctor me dio un consejo muy simple y potente: "Cada vez que sientas que te estás disminuyendo ante un posible conflicto, acoge la situación. Siente cómo te abres a la posibilidad de fundirte con ella". Lo hice. Y funcionó. Nunca más sentí temor de la ira o de las emociones ajenas fuera de control. Nunca más me asusté ante mi propia ira; gran parte de la cual había venido reprimiendo por años, debo decir.

Entonces, recuerden... Cuando ubicamos a las circunstancias y personas externas como algo más fuerte que nosotras mismas quedamos en un estado de inseguridad.

Cuando ubicamos a las circunstancias y personas externas como algo menos poderoso que nosotras mismas también quedamos en un estado de inseguridad. Esto es vivir a partir de un modelo de dominación que implica que siempre está la opción de que algún día alguien o algo se levante y sea más poderoso que nosotras.

Sin embargo, si vivimos en el estado de nuestra propia verdad, nuestro propio poder, sin comparar ni medir ese poder en relación con otras personas o situaciones (y que, siempre que sea posible, provenga desde una posición de amor), entonces será más fácil sentirnos confiadas y seguras. Al abrazar el miedo, es posible usarlo como un maestro para anular y transformar hábitos y esquemas obsoletos.

Fingir valentía no funciona

De vuelta en la playa. En los días previos al terror yo había estado de pie en una terraza pidiéndole al océano: "Está bien, ¡muéstrame de lo que eres capaz!"…, una especie de bravata para probarme a mí misma que yo podía enfrentar cualquier cosa. No estaba segura de que fuese a funcionar pero estaba dispuesta a intentarlo. ¡Comenzaba a molestarme conmigo misma por cuánto pensaba sobre mi plan de escape! Mientras le gritaba a la masa de agua, por supuesto que me di cuenta de que era una suerte de monólogo fútil. O en un momento anhelé que lo fuese, porque en verdad no tenia ninguna intención de tener que enfrentar un chillido. Pero en este fingido aspaviento me sentí de nuevo en Nueva York. Mi primera visita a ese lugar había sido dos semanas después del ataque a las Torres Gemelas el 11 de septiembre.

Cuando llegué al aeropuerto J.F.K. esperaba el tipo de seguridad que encontré; de hecho, era un poco menos de lo que había anticipado. Pero nada me preparó para lo que vi camino al lugar en el que me quedé. Cada automóvil y casi cada casa o edificio tenía puesto el himno estadounidense, el "Star Splangled Banner". Así como yo desafiaba al mar para pelear conmigo, los norteamericanos les gritaban a los terroristas: "Sólo inténtelo, y ¡ya verán!".

Una semana más tarde, luego de haber estado cuidada y segura en un centro de retiro de las montañas de Catskill, me dirigí sola a Manhattan en bus. Cuando esperaba en el terminal, vi un dispensador de periódicos, y en la primera plana estaba el título: "SE ESPERA OTRO ATAQUE EN DOS DÍAS".

En qué estaba pensando. Había dejado a todas las personas con las que me sentía cómoda y segura para dirigirme al corazón de Manhattan a pasar dos días con gente desconocida. E iba a haber otro ataque. El viaje en bus hacia Manhattan era de unas tres horas y fue bien extraño. Los lugares por los que pasamos, nos detuvimos, la gente. Banderas por todas partes. Algunas enormes que cubrían pequeñas casas de obreros. Chapitas que adornaban los sombreros de señoras mayores. Grandes autoadhesivos puestos en las maletas, como queriendo decirles a los terroristas de incógnito: "Cuidado… estamos alertas". Cuando llegué al terminal de Port Authority me encontraba bien, aunque cautelosa. Cuando salí del bus y comencé a ubicarme en Manhattan fui sintiendo cada vez más miedo. De nuevo sentía mi cuerpo profundamente alterado. Mi sistema nervioso estaba en una alerta total; mi mente corría veloz; mi "aura" estaba por completo tensa.

Y entonces me di cuenta: éste no era mi miedo, sino el miedo de más de doscientos millones de personas, que colectivamente fingían tener poder pero se sentían sumamente débiles. Yo estaba absorbiendo su terror nacional del mismo modo en que mi clienta había absorbido los miedos de su jefe.

Transformar el miedo, crear una realidad diferente

Una vez que me di cuenta de esto pude diseñar una estrategia para comportarme durante los siguientes días. Mientras permanecía pasiva, yo era como una esponja: absorbía las vibraciones a mi alrededor y esas vibraciones gatillaban en mi subconsciente recuerdos relacionados y vagamente conectados. Sin embargo, si me ponía en acción para así ayudar de un modo en el que sabía me era posible, entonces pasaba a administrar mi propia energía. Ya no sería una esponja y sería capaz de ser útil. Generaría paz y extendería esa vibración alrededor mío mientras me moviera por la ciudad. Y fue eso lo que hice, incluso cuando estuve en el centro Rockefeller en el día en que fue evacuado por una amenaza de ántrax que ni me sacudió pues estaba anclada en este estado original del Ser.

Ésta era una estrategia poderosa: generar vibraciones positivas y dárselas a aquellos a mi alrededor. Así me mantuve segura y en calma.

En 1999, en Ciudad del Cabo (Sudáfrica), dirigí un taller de las Cuatro Caras en el Parlamento Mundial de Religiones. Una de las mujeres del taller compartió una historia muy desafiante e inspiradora que se ha quedado conmigo todos estos años.

Ella vivió en Mauricio durante los muchos años de lucha sudafricana contra el *apartheid*, y había regresado sólo algunas veces allí luego del ascenso de Mandela y el fin del terrible régimen de indignante discriminación. Ahora vivía con su madre, pero, tal como lo describió, a eso no podía llamársele realmente vida. Su madre estaba demasiado atemorizada para salir alguna vez de la casa. Tenían alambre de púas y vidrio molido sobre las rejas que rodeaban toda la casa, sistemas de alarma, perros y guardias de seguridad. Era el miedo de su madre, pero ella se sentía atrapada, sofocada, una prisionera allí dentro, y hasta había comenzado a sentirse presa del mismo terror de su madre. Dijo que ella sabía que si iba a quedarse en Johannesburgo, o en cualquier lugar de Sudáfrica, tendría que encontrar el modo de vivir sin miedo.

Un día empacó una pequeña mochila. Para manejar el miedo de su madre le dijo que se iría un tiempo al sur a visitar a unos amigos. Pero lo que en realidad había decidido hacer era deshacerse del miedo. Se prometió a sí misma sólo caminar y ver qué pasaba. Aceptaría un aventón de quien fuese le ofreciera un aventón. Aceptaría invitaciones a alojar de quien fuese se las extendiera. Dormiría en parques si era eso lo que había disponible. Pasó casi dos meses "fuera". Tomó taxis colectivos para negros. Aceptó invitaciones a comer en los hogares de desconocidos. Durmió en parques y camas ajenas ofrecidos por personas amables. Nos dijo que hubo momentos en los que sí sintió miedo, pero que el miedo nacía desde dentro suyo, que no había nada en su entorno de lo que asustarse. Si conscientemente se quedaba en la "luz", de verdad no había nada que temer. Y fue ése su regalo a Sudáfrica. "Aunque es pequeño", dijo, "al menos puedo compartirlo con mi país. Soy sólo una persona, pero vivo sin una gota de miedo en el corazón de Johannesburgo".

Avanzar hacia una conciencia más elevada nos brinda nuevas soluciones

Cambiar la conciencia, reconocer la realidad de ser la luz y no las sombras de la duda y el temor, ser capaz de tomar distancia de pensamientos y sentimientos, es un paso crucial para ser capaces de transformar el temor y la debilidad. A los 40 años de edad, una amiga volvió a la universidad a estudiar cine. Una noche, cuando estaba en segundo año, se quedó hasta tarde en su facultad editando. Era invierno, y mientras esperaba el tranvía en la noche oscura, fría, desierta, se dio cuenta de que ya no estaba sola. Allí donde esperaba el tranvía que la llevara a su abrigada cama en su casa divisó una pandilla de jóvenes dirigiéndose con rapidez hacia ella. Me dijo que supo que en cualquier momento podía agarrarla el miedo, y entonces estaría perdida, débil. Entonces tomó el control de sus pensamientos y se dijo que no había trabajado veinte años con estos asuntos espirituales para que la abandonaran justo ahora. Y que sólo entonces se volvió Shakti y supo exactamente qué hacer. Se orientó en la dirección de los jóvenes e intencionalmente comenzó a caminar hacia ellos. La respuesta de ellos fue avanzar aún más rápido. Mientras se acercaban uno de ellos gritó: "¡¿Qué mierda estás mirando?!". Sin pensar en su respuesta pero desde la posición de sentirse poderosa vio a este tipo en camiseta y le respondió de inmediato: "Te estoy mirando a ti y pienso que debes tener un frío espantoso".

Bastó con eso. Él se detuvo y contestó: "Sí. Un imbécil me robó la chaqueta en el tren". La respuesta de mi amiga fue: "¿En qué se ha convertido el mundo?". "Ya sé... ¡apesta!". Y ahí estuvieron de pie durante los siguientes diez minutos, hasta que llegó su tranvía, hablando sobre el estado del mundo, las inequidades, el deterioro del espíritu humano.

"Bueno, chicos, éste es mi tranvía. Ha sido un agrado hablar con ustedes".

"Sí..., igualmente. Cuídese".

Y partió segura a la cama de su casa.

Mi amiga no sólo se las arregló para revertir una situación temible y potencialmente peligrosa a través de un estado de conciencia, su sentido del ser, sino que también les dio a esos jóvenes una experiencia diferente a las que probablemente están acostumbrados, ofreciéndoles así una imagen más amplia del mundo.

Del miedo al amor

De vuelta en la playa, al día después del terror de la noche anterior. Decidí que mi bravata no sería suficiente: necesitaba otra estrategia. Algunos amigos llegaron con víveres y me aseguraron que aunque la casa estuviese tan cerca del borde del acantilado, estaban seguros de que yo estaría bien. Y que, de haber un maremoto, alguien vendría por mí... ¡aunque estuviese oscuro! Yo ya había pensado en todo eso, y aun así eso no me había ahorrado pasar por la tortura de la noche anterior.

Sé que esto sonará ridículo, pero me di cuenta de que tenía que amar el océano. Tenía que volver a amarlo. Me pregunté: si fuese a morir —y todos tendremos que dejar este cuerpo en algún momento—, ¿querría irme en un estado de miedo, de terror o de amor? Cuando siento temor, me obsesiono, me siento amenazada y soy incapaz de pensar en algo positivo. En definitiva, no soy capaz de recordar a Dios ni aprovechar la belleza de esa energía. Por miedo me abandono a mí misma, y si fuese a morir moriría sola y en privación. No es un buen modo para que el alma complete una vida y comience la otra.

Entonces bien, ¿cómo prefería irme? ¿Con miedo, terror o amor? Eso era fácil de responder: amor, por supuesto. Salí de nuevo a la terraza y cambié el modo de mirar el océano. Cambié mi estado a mi identidad espiritual, el ser eterno de luz, y esto cambió mis pensamientos y, en consecuencia, los sentimientos que éste me producía. En mi imagen mental, me aseguré de que las olas fuesen de un tamaño razonable, más que los gigantes que yo había estado fabricando durante las semanas previas. Me volví activa en mi relación con el mar, más que una receptora pasiva de sonidos, sentimientos, imágenes, olores… todo eso que gatillaba recuerdos. En este estado activo de "amor", el miedo simplemente no existía.

Miedo al rechazo

Lo mismo había hecho hace años, pero en relación con la gente. Me di cuenta de que me sentía indecisa, circunspecta e incluso nerviosa cuando entraba en relación con algunas personas. Este miedo me volvía cautelosa y, a veces, poco auténtica. Me di cuenta de que era un verdadero temor al rechazo, y entonces yo creo vías de escape, y me digo a mí misma que no quería hacer esto o aquello, o que no tenía tiempo ni ganas sólo para evitar la posibilidad del rechazo. También me di cuenta de que ese temor me había acompañado gran parte de mi vida, pero que ya estaba lista para acabar con él. Estaba entonces de retiro en India, y en mi meditación justo agarré la clave "amor". Por supuesto, el miedo al rechazo es una búsqueda de aceptación, por la que le entregamos a alguien más el poder de aceptarnos o no, aprobarnos o no. Pero entrar a una relación en un estado de amor, de entregar más que de querer, eso cambia por completo la dinámica: de lo débil a lo poderoso… del temor al cariño. Así uno no tiene nada que perder y tiene la seguridad suficiente para ser su yo auténtico.

Frente al océano en un estado de amor, pasaron los días y yo ya no pensé en vías de escape. Admito haberme parado en la terraza un día y haber cerrado mis ojos para acostumbrarme al sonido de las olas y el viento, para que así no me traicionaran de nuevo mis sentidos. Pero lo hice con amor. Cosa interesante: dejé de notar el sonido, pues de algún modo éste se convirtió en un tranquilizador ruido de fondo, y mientras la casa traqueteaba alrededor mío, trabajé y dormí con facilidad y muy bien.

Los filtros que determinan lo que vemos

Recordar el pasado es un asunto difícil. En un retiro en Brasil había un ejercicio en el que había que pensar en retrospectiva sobre la propia vida y ubicar lo más destacado; tanto los momentos brillantes y cumbre como los más bajos. Pasé un rato considerable explicando el proceso. A continuación, un ejemplo ficticio:

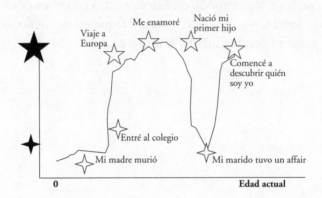

Así, y luego de una larga explicación, las puse a todas a trabajar. Noté el aspecto de completa confusión que tenía el rostro de una de ellas. Pregunté si había más preguntas. Una mujer, María, dijo que no podía encontrar puntos brillantes, que su vida habían sido puros momentos oscuros.

Le dije que yo también creí que mi vida adolescente había sido de algún modo una tragedia, que había "gestaltizado" todas mis experiencias bajo una misma etiqueta, para luego creer que esa etiqueta era verdad.

Compartí con ella que alrededor del año 2000 tuve que hacer un trabajo para un gran banco. Por alguna razón me confundí con el horario del taller y no aparecí a una de las sesiones. La gente había viajado desde todo Sydney para asistir a ese *focusgroup*. Pedí disculpas, por supuesto, y prometí que yo viajaría hasta donde se encontrasen los distintos grupos, sin costo extra.

Uno de los grupos era del lugar en el que yo había ido a la escuela, donde había tenido mi primer empleo, donde había trabajado

198

media jornada mientras estudiaba, donde mi primer novio trabajó como joyero, donde fui a mi primera fiesta y a muchas otras fiestas hasta poco después de los veinte años. Me esperaba un viaje en tren de unos cuarenta minutos a la ciudad satélite de Parramatta. Había hecho ese trayecto cada día por casi dos años cuando tenía entre 19 y 20, yendo al trabajo en uno de los grandes bancos de Australia. Estaba completamente segura de que mientras viajara en ese tren, a través de los suburbios hacia el oeste, sentiría todo tipo de sentimientos tristes y dramáticos vinculados a la "tragedia" de mi existencia juvenil. Pero no: sólo vi un montón de casas. Vi la estación en la que había vivido con Karen Weston, quien había sido un apoyo tan increíble para mí cuando exploraba si quería o no seguir la carrera de actuación. Vi las piscinas de Auburn y Granville a las que mi madre me llevaba cinco días por semana cuando era mucho más joven para entrenarme en natación. Solíamos pasar bajo el puente Granville, que una mañana colapsó cuando el tren de las 8.06 desde Parramatta descarriló, matando a varias personas. En cualquier otro día yo hubiese estado en ese tren. Cuando mi tren ahora estaba por llegar de nuevo a Parramatta, de verdad pensé que me sentiría enferma con tantos sentimientos sobre la infelicidad del pasado. De nuevo, no. Era un día de sol resplandeciente, la estación estaba limpia y la gente estaba sumida en sus asuntos. Era temprano, así es que decidí tomar un pequeño tour alrededor de la ciudad para continuar con el proceso de deshacer mis distorsionados recuerdos.

Fui al centro comercial en el que había trabajado media jornada en una multitienda cuando aún estaba en la escuela. Vi el lugar donde tuve mi primer empleo luego de terminar los estudios. Caminé hacia donde mi novio había trabajado como joyero junto a su padre. Ya no estaba ahí, pero de algún modo llegué a su nuevo estudio. Y ahí estaba él, veinte años mayor pero viéndose y escuchándose igual. Todavía haciendo surf.

Al final fui al banco e hice mi trabajo. Regresé al tren y me dirigí de vuelta a Sydney luego de haber experimentado una nueva relación con mi pasado.

El modo en el que miramos las cosas determina nuestra experiencia sobre ellas. Dos personas pueden ver la misma escena y tener dos experiencias muy diferentes. La percepción es un hábito. Tengan cuidado.

En su libro *El hombre en busca de sentido*, Víctor Frankl cuenta su experiencia en un campo de concentración alemán y cómo se dio cuenta de que las personas sobrevivían allí de diferentes maneras. Observó a la gente que llegaba y cómo algunos eran capaces de mantener su fuerza vital y su dignidad, mientras la vida de otros se iba apagando incluso antes de que los llevaran a la cámara de gas. Cuando analizó cuál era la diferencia entre ellos, identificó un momento entre el estímulo externo y la respuesta; un momento durante el cual existía la libertad, el poder, la opción. Nadie puede determinar nuestra respuesta. Nuestros pensamientos, nuestras respuestas, nuestra vida, son nuestros. Todo depende de cómo orientemos nuestra percepción.

Envié al grupo del retiro a trabajar en su mapa. En tres minutos, el rostro de María había cambiado por completo. "¡Encontré momentos altos y brillantes en mi vida!", exclamó.

Los recuerdos no son reales. No les creas. Si hay recuerdos que te persiguen, te atrapan, te impiden volar, vuelve a los recuerdos como lo haría un adulto y escoge otros nuevos, sabios, motivadores. Algunas veces es necesario reescribir la historia de nuestras vidas y usar algún método que nos ayude a deshacer la distorsión o el esquema que hoy nos limita. Existen muchas metodologías disponibles para hacer este trabajo, y hay veces en que también es útil buscar ayuda profesional de un psicoterapeuta o psiquiatra durante un tiempo. El desafío, por supuesto, es encontrar al adecuado, estar seguros de que la persona con la que uno trabaja valora nuestro proceso y está ahí presente para uno, decidida a que uno se mantenga independiente de ella.

Recuperar la inocencia y el amor propio

"Aquello de lo que no te adueñas se levantará y volverá hostil".

Quien sea un "alma vieja" tendrá cosas en su pasado con las que no está contenta, cosas en las que puso en riesgo su dignidad o la de otro. Existe un proceso útil que consiste en escribir la historia que uno recuerda, como si fuese un observador imparcial. Eso me ayuda a entender que, como seres espirituales que han perdido su sentido del ser y sus recursos espirituales, hay veces en que nos comportamos de modos cuyo único objetivo era llenar un vacío. Ya sea al buscar amor, poder, seguridad, libertad o verdad, sin un fuerte sentido de nuestro propio valor eterno habremos hecho ciertas cosas que en retrospectiva desearíamos no haber hecho. Pero eran las únicas opciones que podíamos tomar en ese momento, dados nuestros recursos.

Es crucial recordar que tenemos profundas influencias de vidas pasadas en el alma. Cada una es una viajera eterna que ha ido perdiendo la energía pura del ser a través del tiempo. Al buscar en el exterior los referentes del ser, automáticamente te alejas de tu propio centro, de tu propio núcleo de fuerza. Les das poder a otros para que ellos determinen quién eres. Y, a su vez, ellos hacen lo mismo contigo. Así nos vamos remodelando unos a otros, de acuerdo a vagas semblanzas de seres extraños que hemos olvidado. Y nunca estamos satisfechas... ni con nosotras ni con los demás.

Sin embargo, hace poco conocí a una mujer notable en un retiro de las Cuatro Caras en Canela, al sur de Brasil. Tenía alrededor de 75 años. Era una mujer increíblemente brillante y positiva. Más tarde supe su historia. Una tarde vino a recogerla su esposo. Habían estado casados por 37 años. Ese día había sido la primera vez, en todo ese tiempo que habían estado separados por más de dos horas. Ella me dijo que incluso durante una separación de dos horas se telefoneaban diez veces. Pese a ello, ese día, el primero de su separación en 37 años, no llamó a casa ni una sola vez.

Yo, defensora crónica del espacio personal y la independencia en las relaciones, no podía concebir algo así. Me dijeron que en todos sus años de matrimonio ni una vez se habían levantado la voz ni discutido. Con una familia como la mía, en la que siempre hubo muchas discusiones y voces alzadas, esto era inimaginable.

"Eso es porque siempre digo sí", replicó su marido desde el asiento delantero de un carro cálido y cómodo.

"También yo", dijo ella.

Su secreto es muy poderoso: decirle siempre que sí a alguien con quien estamos en una relación igualitaria... un "sí" desde el corazón. Imaginen cómo será no bloquearse nunca, estar siempre con nuestras capacidades plenas, y lo que eso haría en términos de confianza, sentido del ser y del valor propio.

Las líderes de la Universidad Espiritual Mundial Brahma Kumaris son mujeres de 80 y 90 años de edad. Cuando asumieron el liderazgo completo y formal de la organización tenían cuarentaitantos. Uno de los principios que acordaron fue: "Una sugiere, el resto acepta". Sabían que debían permanecer unidas y fuertes, y apoyarse unas a otras, si es que iban a llevar adelante el trabajo de reavivar la atención espiritual y la paz en los corazones y mentes de la Humanidad. Desde afuera me parece que decidieron confiar unas en otras, al comprender que sugerir una actividad no es algo que pueda hacer daño. Puede haber un modo mejor para hacer algo, pero estiman que no vale la pena poner en riesgo su unidad y armonía por un programa o sistema apenas un poco mejor. La energía del permitir, del confiar, del desenvolver la fe en que "sucederá lo correcto", que siempre está Dios a cargo... todo esto ha significado que en los últimos 35 años estas mujeres han entregado liderazgo a millones de personas en más de cien países.

La energía del "no" todo lo trunca. Acaba con el amor, destruye la confianza, aniquila la seguridad, mutila el compromiso. Erika, quien solía trabajar conmigo, siempre decía: "Caroline, sucederá lo correcto". Como son las cosas debo preguntarme "¿y cómo sabré qué es lo correcto?". El mundo es tanto más vasto que la capacidad de mi intelecto.

Sin embargo, en un contexto de vida, amor y viaje, donde todo busca retornar al asombro del ser, es importante discernir cuándo

202

resulta crucial compartir una intuición y cuándo eso es sólo una necesidad del ego por sentirse escuchado.

Esto no es tan fácil como parece, por supuesto. Las caras sobrevivientes de lo correcto e incorrecto, lo bueno y lo malo, el juicio y la aprobación, buscarán socavar esa decisión. La furia virtuosa del ego querrá justificar la validez de la reacción, como el intento que hace un abogado para voltear las cosas a favor de la verdad, o la libertad, o el derecho a la libre expresión.

Cualquiera de las dos Caras, no importa qué tan correctas parezcan, roban la inocencia. Nos sacan de nosotras mismas. Nos hacen prisioneras del pasado, y de los demás, y de los sistemas antiguos, y del miedo y la inseguridad. Contaminan nuestra vida al intentar protegerla. Son rostros ignorantes, que sólo viven porque en nuestra esencia hemos olvidado que somos belleza, fuerza, claridad, y que contamos con la capacidad de escoger la acción correcta e incluso ponernos de pie por nosotras mismas si es que tenemos que hacerlo. Son rostros que creen en los recuerdos. No entienden que hay un plan mayor, una milagrosa empresa cósmica que está sucediendo a nuestro alrededor, del cual somos piezas minúsculas, pero importantes. Se basan en el miedo y la inseguridad, y nos mantienen apartados de la vida y la confianza, del amor y de Dios, de la verdad misma de la fuerza energética de nuestra propia vida.

Y por eso una sencilla práctica Shakti es decir "sí". Si te das cuenta de que eres alguien que bloquea, que critica, que actúa como un abogado, cuya idea es siempre mejor que la del resto, el decir "sí" será una buena práctica.

Desbloquear energía valiosa

Primero dile "sí" a tu destino.

Cómo sería confiar en que no estás sola, que la mano y la compañía de lo Divino están siempre contigo, guiándote incluso si no puedes hacer más que escuchar. "Sí" significa que no tienes que pensar demasiado. "Sí" significa que la energía del flujo está presente en tu vida. "Sí" significa que la resistencia desaparece, liberando una enorme cantidad de energía. "Sí" a los demás significa que dejas de intentar controlar el mundo entero. "Sí... enséñame" te hace humilde, y la humildad permite cercanía, florecimiento y novedad. "Sí" comprende que, si no hay energía para algo, eso de todos modos no sucederá. "Sí" permite que lo que sea que esté de acuerdo con tu objetivo tendrá un espacio en el que desarrollarse, incluso si no puede verse en un comienzo. "Sí" es un estado de alivio; de ya no tener que determinarlo todo, saberlo todo, supervisarlo todo, controlarlo todo.

Cuando el problema es no decir "no"

Por otro lado, uno de los mayores problemas que enfrentan las mujeres es aprender a decir "no". Tengo una amiga que siempre dice "sí" a las invitaciones, incluso cuando sabe que no irá. Luego tiene que gastar una cantidad desmesurada de energía ideando una excusa y un modo para al final negarse, pero debe mentir para poder hacerlo. Todos sabemos que ella mantiene una red de mentiras, y que lo más probable es que a último minuto renuncie a sus compromisos y acuerdos. Estas mentiras son quizás algo pequeño, pero mantener una serie de mentiras más o menos extensa requiere de mucha energía, poder cerebral y atención que sería mejor gastar en otras áreas de la vida. Es más fácil y más respetuoso contigo misma y los demás aprender a decir que "no".

No ser capaz de decir "no" es un fuerte indicativo de que no nos conocemos ni valoramos. Poner por delante los sentimientos, necesidades y deseos de otras personas demuestra que no se han establecido ciertas fronteras que son muy sanas. Los límites siempre se vuelven demasiado borrosos en las relaciones disfuncionales (o sea, en aquellas en las que hay un apego excesivo, dependencia y codependencia que facilitan pautas de comportamiento negativo). Los límites son los bordes de nuestro espacio personal: mental, emocional, físico y espiritual. Cuando son sistemáticamente transgredidos es posible que olvidemos con facilidad que tener ese espacio es nuestro derecho. No sólo permitimos que los demás lo transgredan, sino que es como si pusiéramos un signo de "bienvenidos los intrusos". Por desgracia, este tipo de invitación atrae relaciones dañinas, gente cuyo esquema de supervivencia es el de abuso, ya sea sutil o extremo. No establecer límites y darle la bienvenida a los intrusos se vuelve, entonces, una estrategia para ganar atención, aprobación, afecto... magras versiones del amor que todos necesitamos pero que no nos sentimos capaces de obtener.

He estado trabajando con una ejecutiva empresarial muy inteligente, cariñosa, talentosa y que tiene una capacidad increíble para aprender y cambiar... con rapidez. Parte del trabajo que hicimos al principio de nuestro contrato resaltaba el hecho de que ella era "demasiado decorosa". Había formado una familia en medio del caos que la rodeaba, y su función era mantener la armonía en ese ambiente doméstico. Esto significaba que sus límites estaban, en definitiva, torcidos. Uno de los valores principales que había aplicado en su vida adulta era el de ser "educada".

Cuando comenzamos a analizar lo de sus buenos modales, quedó claro que éstos eran la imposición de una idea ajena sobre cómo debía ella comportarse. No causes problemas, no hagas que alguien se sienta incómodo, no digas lo que piensas, mantén todo "agradable". Pero, al hacer eso, ella reprimía su voz interior. Hay veces en que una voz interior te dice qué no es un comportamiento correcto, cuándo una persona no puede hablarte de ese modo o tratarse así, y que ser "decorosa" en esas circunstancias equivale a no valorarse. Ambas comenzamos a trabajar con el concepto de que el valor superior era el respeto. Un valor más Shakti que sólo tener buenos modales (que era una Cara muy Tradicional).

El respeto significa, primero, respeto por uno mismo. Tu voz es valiosa, tu conocimiento vale la pena, tu experiencia es válida. Tus valores y límites están claros.

Luego viene el respeto por los demás. Esto significa tratarlos como seres humanos valiosos. Allí donde hay respeto puede haber honestidad. Los buenos modales rara vez le dejan espacio a la honestidad, y ésta es una parte fundamental del respeto. Puede ser necesario moderar la honestidad y franqueza con el arte de administrar las sensibilidades y los egos, pero siempre valorándote lo suficiente para tener claro qué es y qué no es aceptable, qué puede y no hacerse, qué es importante y qué no.

El respeto es un espacio poderoso. Los modales son un lugar débil en el que estar y desde el cual hablar. Este giro en el filtro de los valores le dio a mi clienta un nuevo modo de verse a sí misma, y ubicarse en relación con su mundo de relaciones y cargos. Significó una enorme diferencia en muchos aspectos de su vida. Cuando cambias algo en tu propia atención, naturalmente se producen cambios acordes en el mundo exterior.

Decir "no" es un asunto de respeto por uno misma, de reemplazar las fronteras que han sido removidas, dañadas o abusadas. Requiere práctica, pero vale la pena. Restablecer los límites es un acto de amor y valorización con uno misma. En el camino de regreso a la integridad, al ser ciento por ciento puro, reestablecer fronteras es un paso crucial para reestablecer tu propio terreno energético: TÚ.

Consejos prácticos

1. Piensa en aquellas relaciones en las que te sientes ya sea inferior o superior. Aquellas en las que los límites se han desdibujado. Haz una lista sobre cómo tu comportamiento cambiaría si mantuvieras una actitud de respeto dentro de la relación.

2. Un modo muy útil de decir "no" para quienes sufren de la enfermedad crónica de complacer a los demás es no decirlo directamente. Puedes decir algo como: "Sé que esto es urgente y me gustaría ayudar. Sin embargo, lamento no poder hacerme cargo esta vez". "Agradezco la invitación, pero me temo que esta vez no podré asistir".

Por supuesto que siempre está el temor de que alguien te pregunte por qué. Simplemente puedes responder: "Si no te importa, preferiría no decirlo; es algo personal".

Las dos palabras más útiles son: 1)Sin embargo, e 2)Y.

Comienza con la energía del "sí"; o sea, energía desbloqueadora. Primero "gracias, me encantaría", y luego sigue con "sin embargo..." o "y...", o algo como "en este momento no puedo".

Preguntas, reflexiones y provocaciones sobre sexo

Al pasar una tarde soleada de domingo junto al cine arte local, vi a una joven pareja entrelazada, besándose apasionadamente. Me detuve y observé cómo se devoraban el uno al otro. Me sentí como de otro planeta, recién aterrizada, viendo algo así por primera vez. Por supuesto que no era cierto, pero algo me hizo salirme fuera del sistema humano de normas para observar con otros ojos. Fascinada, intenté sintonizar con el hambre que los dirigía. ¿Puro placer? Quizás. Pero estaban demasiado hambrientos para ser sólo eso. Algo más. Más. Mis recuerdos me llevaron a un lugar de necesidades afectivas, de conexión, de cuidado, ternura… amor; así como de sensaciones de vitalidad y poder.

Ésta era quizás la primera vez en que yo tomaba conciencia sobre la "transacción sexual" y las muchas capas de necesidades que existen bajo la superficie del deseo físico. Desde entonces, he seguido preguntándome, explorando, observando.

¿Cuáles son esas capas?

¿Son sanas, dañinas, o un poco de ambas?

¿Es el sexo diferente de la sexualidad, la sensualidad, la seducción; la preferencia y opción sexuales?

¿Por qué hay tan poca discusión general sobre sexo de un modo que nos ayude y no sea a la defensiva, crítico o moralizante?

Si pudiéramos hacer una evaluación de costo-beneficio sobre el participar en una transacción sexual, ¿cómo luciría esa planilla de cálculo? ¿Consideraríamos sensata nuestra inversión?

El sexo ha encontrado un lugar en casi cada área de nuestra vida, a través de la televisión, el cine, la escuela, las novelas, las revistas, la publicidad, e incluso la religión. Algo que es un proceso muy natural de creación y reproducción ha adquirido exponencialmente un enorme significado más allá de su función. El sexo ya no se trata de la reproducción de abejitas y pajaritos. Su impacto es más profundo y, al mismo tiempo, profundamente más complicado que su propósito funcional.

¿Por qué nos obsesionan el sexo y la sexualidad? ¿Qué es lo que simbolizan, suponen y ofrecen? Y, en el contexto de este libro y de un recorrido espiritual, ¿qué efectos tiene sobre nosotros un asunto tan complejo?

Al proponer este tema para una reflexión, en ningún caso estoy haciendo juicios morales ni religiosos. Sin embargo, me interesa explorar las preguntas que recién planteé. Para mí es un debate clave en el contexto de comprender cómo dominar nuestro campo de energía personal para que no se contamine con dependencia o necesidad.

Así, estas páginas no son, en ningún caso, respuestas, sino más bien observaciones inconclusas que motivarán la curiosidad e investigación personales. Algo de lo que sigue es provocativo, desafiante y puede o no aplicarse a ti. Pero estés o no lista para unírtenos en este debate, no hay duda de que, como raza, necesitamos hacernos parte de una exploración rigurosa y confiada sobre adónde hemos llegado en el proceso de transacción sexual, y el impacto que éste está teniendo sobre asuntos como el respeto a uno mismo, autoestima, confianza y seguridad; así como sobre nuestras familias, sociedad, medio ambiente y economía.

Nos detendremos en los siguientes temas:

- el amor, la intimidad, y la conexión
- la conciencia del cuerpo en nuestra sociedad
- el mito de la belleza
- la identidad sexual
- el celibato como opción sexual
- espiritualidad y sexualidad
- creencias
- opción consciente y empoderada

Al comenzar

Las siguientes páginas ofrecen algo de estadística para ubicar parte del impacto que está teniendo sobre nuestras vidas y nuestro mundo el paradigma de la sexualidad.

Se estima que en Chile el cincuenta por ciento de las mujeres son víctimas de violencia doméstica. No sólo sexual: la hay también emocional, psicológica y, para algunas, una combinación de las tres. Jill Shanti, especialista australiana, me dice que en la mayoría de los países esta cifra es superior al cincuenta por ciento.

En todo el mundo la Iglesia Católica está al fin investigando casos internos de pederastia, en los que personajes con autoridad han abusado de la confianza para mantener relaciones sexuales con menores de edad.

Si bien un ochenta por ciento de los niños abusados nunca se vuelven abusadores, el ochenta por ciento de los abusadores fueron abusados cuando niños.

Hoy en África, la más reciente superstición sobre la cura del sida (una epidemia por completo incontrolable que hoy tiene infectados a cuarenta millones de niños) es que un hombre infectado se curará si tiene sexo con una virgen. Y mientras más joven la virgen, más rápida y eficaz será la cura. Esto significa que hay hombres abusando de bebés que a veces no tienen más que días de edad. En períodos de guerra, de algún modo se considera aceptable que los soldados violen y torturen a las mujeres y niñas que han capturado en territorio enemigo.

En muchas culturas, países y religiones, las esposas no tienen derechos en lo que atañe al sexo. La opción del marido es la regla. La violación dentro del matrimonio es común en todo el mundo.

Hay series televisivas que muestran una variedad de diferentes formas de violación y violencia. Esto es entretención digna que merece premios y en horario estelar.

Algunos programas computacionales se diseñan para restringir el acceso de los empleados a sitios pornográficos de internet. Las estadísticas australianas indican que el grueso de los empleados pasa del orden del treinta por ciento de su día laboral mirando pornografía.

Junto con AA (Alcohólicos Anónimos), NA (Narcóticos

Anónimos) y CA (Comilones Anónimos), la otra gran adicción moderna que hoy se trata es la adicción al sexo.

Amor, intimidad y conexión

Al amor y la intimidad se les confunde por completo con el sexo. En una conversación que tuve hace poco con un muy inteligente profesor de economía, me impresionó escucharle definir el amor como la conexión apasionada (léase sexual) entre gente joven.

Casi todos los poemas que alguna vez se han escrito, una vasta mayoría de las historias que se cuentan, y tantas de nuestras propias actividades son una búsqueda eterna de amor. Junto a la atención consciente y la capacidad de observar nuestra conciencia en acción, quizás sea éste otro rasgo que distingue a los humanos de los animales.

Amor. ¿Pero qué es? ¿Es, como sugirió este profesor, la lujuria hormonal de la juventud? ¿O, como agregó otro profesor, el amor de una madre por su hijo? ¿Por qué lo buscamos tan empecinadamente, y por qué al sexo se le nombra ahora como apoderado del amor?

El amor y la intimidad y la conexión son imposibles cuando hay temor, y el temor o sus derivados están siempre presentes cuando no nos sintonizamos con nuestro ser esencial. Cuando se armonizan, el amor, la intimidad y la conexión constituyen estados independientes del Ser, y NO dependen de algo externo para existir: ni otra persona, ni otro lugar, posesión ni propósito.

Cuando nos alejamos de nuestro verdadero ser, nos volvemos frágiles e inestables, y, para sobrevivir, pasamos a depender de una construcción del ser: la identidad del ego en las Caras Moderna y Tradicional. Estas identidades del ego nos vuelven vulnerables, y cuando estamos vulnerables es que surge el temor, la ansiedad y el nerviosismo, además de un comportamiento protector y a la defensiva. Nada de esto conduce al amor. Nada de esto invita a la intimidad. Nada de esto permite la conexión. Cuando hay temor, no puede existir real confianza, y entonces el amor, la intimidad y la conexión se vuelven débiles y condicionales.

Bajo estas circunstancias, no podemos experimentar ese estado puro y natural del ser que el alma añora que exista dentro de sí. Cuando hemos olvidado que nosotros somos ese estado, que somos energía, y ya no sabemos cómo serlo, salimos a cazar fuera de nosotros. Cuando hemos perdido la conexión con la sutil verdad de nuestro propio ser, adoptamos la convicción de que somos forma física. Una vez que ya hemos sucumbido a esta ilusión se nos hace normal sustituir conexión por cercanía física; amor por excitación emocional; intimidad por coito. A través del sexo y una identidad sexual buscamos la calidez del amor, la transparencia de la intimidad y la cercanía de la conexión. A veces conseguimos lo que queremos… por un rato. Y, a veces, no.

El recorrido espiritual nos proporciona más opciones con las que recuperar estos estados naturales del Ser. Existe un abanico más amplio de opciones para quienes sienten que hay costos inaceptables asociados a la búsqueda del amor en la sexualidad.

Cuando uno es capaz de sostener esos estados, las relaciones cambian. Ya nadie es amenazante y entonces no hay necesidad de competir por amor, poder ni atención. El modo en el que uno interactúa, incluso con desconocidos, es desde un espacio de amor, intimidad y conexión. Puedes ser un agente de transformación sólo siendo. Al estar presente en tu estado de amor, les ofreces a los demás un recuerdo sobre la verdad de su propio Ser que les resonará de modo subconsciente, y así tendrán la posibilidad de avanzar hacia esa "frecuencia". En otras palabras, les ayudarás a reconectarse con su propia energía de amor, tan sólo por mantener esa atmósfera en tu campo personal de energía.

Lo otro que sucede es que tu mirada cambia. Ya no necesitas esconderte a ti misma, ni tus vergüenzas, tus dudas, tus torpezas, tus juicios. Dejas de creer en el ego —que es donde reside todo eso— y comienzas a creer en la verdad de tu ser actual (hay más sobre esto en los capítulos sobre Cara Eterna y Shakti). Cuando estás presente en tu verdad, no tienes nada que esconder y te vuelves transparente.

Tus ojos se abren para revelar la belleza de tu alma, y eso te lleva a la conexión. La ilusión del aislamiento y la separación se disuelve de inmediato cuando regresas a tu Ser.

Entonces tu mundo cambia por completo. Te mueves en la vida, las relaciones y el trabajo desde el amor. Como amor.

Y entonces tienes la opción de decidir qué es lo que haces y lo que no. Te vuelves libre y empoderada.

Una sociedad consciente del cuerpo

Una de las mayores dificultades de estar conectadas con el Ser es que vivimos en un mundo consciente del cuerpo. Todo alrededor nuestro afirma nuestras identidades egóticas basándose en el cuerpo. Cuando tomamos conciencia de nuestro cuerpo y de todo lo que éste conlleva, es casi imposible estar consciente de nuestra alma. Este foco sobre la forma física puede ser peligroso, incluso fatal, si es que uno carece de:

- el color correcto de piel
- la forma correcta de cuerpo
- el género correcto
- los tipos correctos de rostro, ojos, nariz, pelo
- las marcas correctas de ropa, anteojos, maletas, zapatos
- el colegio correcto
- la dirección correcta
- el trabajo correcto
- el acento correcto
- el todo-lo-demás correcto

De acuerdo a la teoría de la conciencia del cuerpo, si no tenemos todo lo correcto es porque nosotras no estamos en lo correcto. Pero, ¿quién decide qué es lo "correcto"? ¿Y se han fijado en que "lo correcto" cambia con el tiempo, según las tendencias, el desarrollo de nuevos productos y la publicidad? Así, incluso si eres "correcta" un día no necesariamente significa que lo serás al siguiente. Toma mucho tiempo, dinero y energía mantenerse "correcta". Cada vez que pones tu "yo" al día, te envías a ti misma otra señal en torno a que no importa cuánto lo intentes, aún no eres "correcta".

Una amiga en Sudáfrica, divorciada, sin pareja ni hijos, se las arregla para salir todos los días luciendo absolutamente "correcta". Nadie adivinaría que ella misma nunca se siente "correcta". Cuando la veo más feliz es cuando les está cocinando a los demás, sacando a pasear el perro o compartiendo un café con el viejito que tiene un restaurante vegetariano al otro lado del parque. Pero en el mundo ilusorio en el que ella vive y trabaja, esa felicidad sencilla no vale mucho. Por eso se construye su mundo de acuerdo a las reglas de "lo correcto". Sin embargo, toma pastillas para dormir, ansiolíticos, antidepresivos; y se obsesiona con el orden de su entorno, gasta una fortuna en ropa y cosméticos, bebe demasiado, ignora o adormece todo ese dolor corporal que le pide que se detenga. Es muy exitosa en su trabajo, pero se siente sin valor e indigna de un empleo, y por eso la compañía para la que trabaja la explota con facilidad.

Al final no importa lo que haga, qué tan bien lo haga, cuánto dinero le paguen por hacerlo ni cuántos elogios obtenga… nunca satisface el vacío e inseguridad que siente. En el pasado, esta exitosa mujer (a los ojos del mundo) se iba al baño de su oficina, sacaba un bisturí, se levantaba su falda Prada, y se cortaba la piel de las piernas allí donde nadie pudiera ver. Esto suena dramático, pero en este extracto de la historia de una mujer veo reflejados muchos aspectos de mi propia historia y las de muchas de las mujeres que he conocido. El contenido de cómo sobrevivimos puede verse diferente, pero la subyacente sensación de pérdida de uno misma es similar.

Trastornos alimenticios

Los trastornos alimenticios son enfermedades complejas, tal como el lamentable fenómeno de la automutilación. Hay muchos factores que influyen, incluyendo la baja autoestima, a veces el abuso, y el autorrechazo u odio hacia uno misma. El mito de la belleza promueve una baja autoestima y el autodesprecio, y a veces hasta permite el abuso. Querer ser querida, necesitar ser amada; las revistas generan un marco de "no eres lo suficientemente buena" con el que obtienen sus ganancias. Mes tras mes, publican los mismos artículos sobre "cómo obtener un hombre", "cómo perder peso" o "cómo ser mejor"; todos junto a fotos retocadas de modelos con apariencia anoréxica que nuestro mundo llama bellas.

Hay una historia que aún permanece conmigo. Es sobre una chica encantadora y brillante, y que transmitía un cierta orden interno. Ambas viajábamos cuando la conocí en un restaurante y compartimos un almuerzo.

En un momento, me contó que durante su adolescencia había estado en una unidad de tratamientos intensivos en un hospital de Vietnam. Era anoréxica y bulímica. Me contó que se miraba al espejo y se veía súper gorda, incluso cuando apenas pesaba 33 kilos. Como toda adicción, esto le hizo comportarse de modos que ahora le resultan por completo inaceptables. Le robaba a su familia y también robaba comida para satisfacer su adicción. Es una joven muy especial. No mira atrás para juzgarse sino con comprensión y compasión, reconociendo que el disminuido estado de su espíritu la llevó a una opción degradada. Tampoco culpa a algo ni a alguien, ni se siente una víctima sin alternativas. Antes sí, pero no ahora. Con mucho apoyo ha asumido la total responsabilidad de su situación, y está avanzando con compromiso y coraje, y un marco espiritual que le permite percibir y aprender.

La meditación no siempre le resultó fácil, debido al daño inflingido a su capacidad de pensamiento durante el período de inanición. Sin embargo, fue aprendiendo paso a paso a amarse y aceptarse. Y así lo sigue haciendo hasta hoy, a sabiendas de que llegar a un ciento por ciento de amor y aceptación el ciento por ciento del tiempo es, para todos, un recorrido que toma toda una vida. Hoy, si te la encuentras, jamás pensarías que casi murió a manos del mito de la belleza. No todas tienen tanta suerte.

El mito de la belleza: un peón del juego sexual

¿Cuánto dinero se gasta al año en productos, programas y publicaciones de identidad sexual (poder de atracción) alrededor del mundo? Miles de millones de dólares. No tantos como los del fondo estadounidense para Defensa, que es varias veces superior al presupuesto mundial para combatir la pobreza y el hambre.

En el marco de uno de mis trabajos corporativos para una gran casa de modas, hubo una sesión pública de maquillaje a cargo de la profesional de una gran compañía. Observé la media hora de su exhibición junto a un amigo fotógrafo que trabajaba conmigo, mientras la mujer destacaba las últimas tendencias para la siguiente temporada. Al final de la sesión, la mujer exclamó: "Ahí está: ¡La nueva imagen para esta temporada! Totalmente natural, como si ni siquiera estuviese usando maquillaje".

Pete me miró, incrédulo: "¡¿Todo esto para que se vea igual a como estaba antes de empezar?!".

¿Cuál es el mito en el que hemos caído? Tantas mujeres se creen todo este cuento. Yo también me lo creí: el maquillaje, el teñido, las últimas tendencias, incluso la antimoda de la juventud. ¿Y para qué?

En términos de recursos, ¿cuánto dinero, tiempo y energía gasta cada mujer en el mundo para reforzar su poder de atracción, su identidad sexual? ¿Cuánta competencia existe entre las mujeres a estas alturas? Al final, ¿se trata en verdad de una caza o de una persecución? Sea lo que sea, no importa. Es energía. Es uso inconsciente de valiosa y preciosa energía. De creer que quiénes somos y cómo somos no es suficiente. Que para estar bien debemos vernos mejores, diferentes, más pequeñas, más delgadas, más altas, más angulosas, con más curvas, etcétera.

Una amiga me contó sobre una conocida de ambas que murió este año de cáncer mamario. Era una mujer bastante conocida en los círculos sociales de Nueva York, y entre el diagnóstico y su muerte transcurrió apenas un mes. Con los actuales avances médicos y de investigación, el cáncer mamario es con frecuencia controlable si se le detecta a tiempo. Sin embargo, esta mujer había tenido implantes de pechos y parece que éstos enmascararon la detección de sus tumores. ¿Tiene sentido morir por un par de pechos más redondos, más firmes, más llenos (o más pequeños)?

Vivimos en un mundo extraño, en el que para sentirnos poderosas o queridas comenzamos a inyectarnos la cara y el cuerpo con bacterias y componentes sintéticos, o nos reamoldamos quirúrgicamente para "planchar" las arrugas y suavizar la celulitis. Si de verdad llegamos a comprender que nosotras no somos nuestros cuerpos, ¿importará entonces lo que hagamos con ellos? Es como un parche en una chaqueta, o como retocar la pintura de un auto. Pero lo interesante es que la mayoría de las personas que están conscientes de quiénes son –la energía, el ser– parecen gastar sus recursos más bien en desarrollar su carácter para luego enfrentar desde esa plataforma el mundo de las relaciones. Y su belleza es esa energía pura y poderosa. Brillan desde adentro hacia fuera.

Identidad sexual

¿Es algo innato? ¿Lo aprendemos? ¿Es natural? Al observar a una niña de cuatro años improvisar un baile lleno de sensualidad e insinuación sexual, uno podría pensar que así es como nacemos. Pero junto a la niña está su hermana de ocho años que no parece tener esa energía seductora fluyéndole a través de su sistema.

La identidad sexual puede estar activa sin importar si tengo o no un compañero, si tengo o no hijos; si soy joven, vieja, linda, fea, gorda, delgada, sexy o no. Vivir desde una identidad sexual es tener prendido un interruptor que explora el ambiente de una manera que suele ser inconsciente y que atrae energía hacia mí. La identidad sexual es una herramienta con la cual obtener energía, y ya no se trata sólo de reproducción. En lo fundamental, una identidad sexual activada tiene que ver con querer ser querida (amada y protegida) y con tener poder.

Para obtener lo que quiere y para pertenecer, la gente usa todo tipo de versiones del poder. Podemos incluso manipular el poder espiritual y llegar a ser atractivas, incluso adoradas, como una gurú. Podemos usar poder psíquico; un poder mental que consiga que alguien me quiera. Si se trata de atraer a los demás esto suele combinarse con energía sexual.

Pero si estamos hablando sólo de ejercitar un poder sexual absoluto para hacer que alguien nos quiera… cuando esa persona llegue a querernos tendremos que decidir si dejamos o no que nos posea; si no ahora, quizás más tarde. Y cuando nos haya poseído, ¿qué habrá significado? ¿Nos habremos poseído el uno al otro? ¿Qué significa exactamente poseer? ¿Qué transacción ocurrió? Quizás sea algo así:

Cuando quiero un helado, voy y lo compro… ¿qué he hecho?

Cuando quiero un trabajo, voy y lo consigo… ¿qué he hecho?

Cuando quiero una casa, entonces vivo en ella… ¿qué he hecho?

Cuando quiero un nuevo par de zapatos, los uso… ¿qué he hecho?

Cuando quiero una educación, absorbo lo aprendido… ¿qué he hecho?

Efectivamente: Consumo. Tengo. Poseo. Uso. Soy.

Así, cuando hago que alguien me desee sexualmente, la invitación que extiendo es para que:

Me consuman.
Me tengan.
Me posean.
Me usen.
Me absorban.

O viceversa. Y si no hay nada más que sexo, entonces, como al resto de nuestro mundo desechable, podrán desecharle o tú podrás desechar al otro. Y para ello no sólo extiendes un permiso sino también una invitación, y te dices a ti misma que estás liberada para hacerlo.

Cuando se está en una relación, es importante preguntarse si uno se siente de verdad bien con la transacción sexual, ¿o acaso es algo que uno ha consentido para mantener a la pareja? Si está bien, entonces bien. Si no, vale la pena revisar y calibrar el valor que tendrá entregar la propia energía del ser.

En cualquiera de los dos casos, se pierde la claridad de uno mismo y la pureza del campo de energía personal. En este tipo de intercambio puede lograrse obtener a cambio algo de la energía de la otra persona, lo cual lo mantiene a uno bien por un rato, pero a la larga no será satisfactorio. No es tu energía: no eres TÚ. Fisiológicamente, el contacto sexual puede liberar endorfinas que te hacen sentir una euforia natural por un corto rato. Pero, luego del *hit*, ¿cómo te sientes al saber que has entregado tu poder? ¿Estás al tanto del efecto sobre tu sentido del ser, tu confianza, el respeto por ti misma, tu ánimo? Quizás al día siguiente... o quizás una semana, un mes o un año después.

Por otro lado, si posees una identidad sexual o te involucras en una transacción sexual que sólo a ti te benefician y no afectan otras áreas de tu mundo interno y externo, entonces quizás este capítulo no sea para ti.

Si no estás segura, puedes considerar el hecho de que si te pasas un buen rato pensando en cómo te ves, y si acaso eres o no llamativa o atractiva para los demás; si te preocupa qué debes hacer para cambiar tu modo de ser y así conseguir pareja; si sueñas, lees o miras novelitas románticas o eróticas; si tiendes a ser celosa o posesiva de tu pareja, o si tienes otros comportamientos compulsivos, entonces tú también estás siendo afectada por la convicción de que el sexo te dará lo que quieres. Eso significa que estás subestimándote, y limitando tu potencial y tus posibilidades.

Incluso puede ser que leas este capítulo y eso no haga ninguna diferencia en tus opciones. Quizás no estás lista, o no es tu camino el buscar tu ser absoluto ese de "YO SOY". Pero igual podría interesarte seguir leyendo.

Creencias

Religión, sexo y política son universalmente considerados temas delicados de conversación. De algún modo generan actitudes muy a la defensiva. ¿Por qué? ¿Por qué no podemos hablar de un modo desapegado sobre estas cosas? ¿Por qué les asignamos a nuestras creencias un sentido del ser? ¿Por qué controlamos aquello en que creemos como si fuésemos abogados, y nos preparamos para montar el equivalente a una audiencia ante la Corte Suprema ante el más mínimo indicio de oposición?

Cuando escuché por primera vez acerca de la sabiduría espiritual –"la verdad no necesita ser probada"– me di cuenta de que muchas de nuestras posturas mentales y argumentos de defensa provienen de un ego frágil.

Hace años, en un pub de Sydney, Australia, me uní a una amiga que iba a la fiesta de Navidad de su agencia actoral. En la fiesta conocí a una escritora. Era una mujer más bien pequeña, de vivo cabello rojo, y una personalidad quisquillosa y brillante. Comenzamos a conversar. Le pregunté sobre qué escribía.

"De mis dos temas favoritos: sexo y cultura pop china", me respondió.

De inmediato me sentí fascinada: "Cuéntame más", le pedí.

Y entonces ella comenzó a desplegar toda una exposición sobre los altos y bajos de su relación sexual en curso. No estoy segura de que la cultura pop china en verdad le interesara, porque durante la siguiente media hora ¡se las arregló para no volver a nombrarla!

Luego me preguntó qué me apasionaba a mí.

"La pureza. Ser capaz de encontrar y descansar en esa parte prístina de mi alma", le dije, y le conté que era célibe. "Dios mío, ¿en serio? Cuéntame más".

Lo que me encantó de esa conversación fue que dos personas con experiencias y opciones polarizadas pudieran involucrarse entre sí en torno a un tema, sin buscar convencerse la una a la otra.

Celibato: una opción válida

Cuando elegí el celibato fue como parte de un paquete asociado al recorrido espiritual que resultaba atractivo. No lo elegí como una opción aislada. Me parece extraño que en lo actualidad todas las opciones sexuales sean válidas –monogamia, poligamia, homosexualidad, bisexualidad, múltiples compañeros, autoestimulación y más– y que, pese a ello, el celibato sea considerado extraño, estrambótico, raro.

Con los años he llegado a apreciar el valor de aprender a entender y administrar la energía sexual, lo cual creo que sólo es posible absteniéndose de usarla, para así observarla, sentirla, conocerla y reconocer la motivación que subyace a ella... y entonces tomar decisiones informadas. Nuestra inhabilidad para reconocer, comprender y manejar esta energía de acuerdo a nuestros valores ha llevado a nuestras relaciones, familias y sociedades a circunstancias terribles y trágicas. Se han destruido de modo irreparable vidas de niños por la incapacidad de los adultos de controlar su lujuria. Por infidelidades, las naciones se han declarado guerras que han durado generaciones. Lo que empezó como un simple coqueteo ha roto familias llenas de amor.

Luego de una comida que ofrecí hace unos años, la esposa de un amigo me llamó para preguntarme si podíamos compartir un café. Me explicó que durante la comida se había dado cuenta de que ciertos temores que venía sintiendo eran fundamentados: llevaba un tiempo creyendo que su esposo tenía un interés sexual en mí. Yo no estaba de acuerdo para nada, pero seguí escuchándola. Me explicó que, como parte de su trayecto espiritual, ella había pasado seis meses en una comunidad de Nueva York, aprendiendo a entender la energía sexual. Su camino promovía el celibato, a no ser que se estuviese casado. Otra de las cosas que el grupo promovía era que las parejas debían compartir sus amigos; o sea, que el esposo no tuviese amigas en privado ni la esposa amigos personales. Hasta esa comida yo no conocía a esta mujer, había sido una amiga de su esposo y, aunque no había sucedido nada físico entre nosotros, ahora que lo pienso definitivamente había algo más que una amistad inocente. Me sentí agradecida de que esta mujer fuese lo suficientemente consciente para tener una conversación madura conmigo. Quizás tenía pendientes algunos asuntos que resolver con su esposo pero, desde mi perspectiva, fue muy positivo.

Fue en ese momento que comencé a pensar más seriamente en la opción del celibato y de que éste no es sólo un asunto que se trate de no tener sexo.

El celibato es la opción consciente de renunciar a una identidad sexual por razones personales acordes a tus valores y objetivos de vida. Tradicionalmente, los atletas y estudiantes universitarios elegían el celibato para concentrar todos los recursos de su energía personal en su campo de especialización. A lo largo de las épocas, la gente consagrada ha descubierto que el celibato puede permitirles una unión con Dios más llena de dicha y felicidad. En aquellas terapias por pasos, los adictos al sexo comprenden que la abstinencia es esencial para conquistar la compulsión incontrolable que experimentan. Aquellos en un camino espiritual de recuperación y autodominio buscan controlar sus sentidos para redescubrir su naturaleza intrínseca, sus estados de amor, su intimidad y conexión, y así tener un mayor acceso a la gracia de lo Divino una vez que han logrado controlar sus sentidos.

Y, aunque es una opción, no es tan simple como apagar un interruptor. Dependiendo de la historia de cada uno, habrá patrones esbozados en tu subconsciente que se activan con gatillos sensoriales, como una película, un libro, una revista, una mujer u hombre atractivos, un abrazo afectuoso.

Aprender a re-formar o transformar cualquier energía es parte de la práctica espiritual. Pero, ¿por qué? ¿Cuál es la idea? ¿Acaso no estamos marginándonos de una parte natural de la vida? Es probable que sí. Pero, insisto, es una opción. Y un propósito. Todo depende de lo que cada uno de nosotros quiera en, de y para su vida. Y el sexo y una identidad sexual, no necesariamente nos ayudan a alcanzar esos objetivos.

Aclarar qué quiero... realmente

Éste es un punto complejo, porque lo que creemos que queremos es lo que quiere el ego sobreviviente, y lo que en realidad queremos son cosas por completo diferentes. Se nos ha condicionado a creer que las cosas, personas y situaciones externas a nosotros nos harán felices. Se nos ha alimentado con imágenes de una existencia de cuento de hadas, absolutamente irrealizable e insostenible dada nuestra falta de atención hacia nosotros mismos y la falta de educación en estos asuntos. Cuando creemos, esperamos y fracasamos, luego lo intentamos aún con más fuerza y volvemos a fracasar. Al final, renunciamos desolados, anulando nuestro dolor con sustancias, trabajo, acción, excitación, gente y objetos.

Pero si podemos resolver lo que de verdad queremos y luego trabajar en cómo conseguirlo —o, más correctamente, como "serlo"—, entonces podremos recuperar la esperanza y entusiasmo, volvernos fuertes y generosas, y crear así un campo de prosperidad y crecimiento en el que vivir.

En mi caso, lo que de verdad quiero es darme cuenta de mi propia verdad, mi naturaleza ciento por ciento pura, mi auténtico yo, el estado de "YO SOY". Es ése mi objetivo. Comprendo que la mayoría (si no todos) de los desafíos que enfrentamos individual y colectivamente surgen de haber perdido nuestro sentido del ser y, por lo tanto, nuestra seguridad. Cuando nos sentimos inseguros nos comportamos mal, ya sea como individuos, grupo o nación. Si estamos inseguros, nos sentimos amenazados por cualquier cosa o persona que se vea, suene, se mueva, coma o camine diferente de nosotros. Cuando nos sentimos inseguros vemos las cosas a través de un filtro de temor. Escuchamos con un oído distorsionado. Nuestros juicios son por completo extrovertidos. Pero nuestra inseguridad nos absorbe tanto que no tenemos perspectiva sobre la historia que nos estamos vendiendo. Por eso mi objetivo es avanzar en este recorrido hacia la seguridad completa. No tiene que ver con la confianza en mí misma, sino más bien con una seguridad espiritual profunda, que brote de la experiencia inamovible de mi propia eternidad. Mi punto de partida será el hecho de que es "absolutamente suficiente" como YO SOY. Sólo debo confiar y aprender cómo serlo con más frecuencia. Entonces no necesito afirmarme y empoderarme a través de una identidad sexual. El sexo se vuelve una opción consciente, no una compulsión inconsciente para satisfacer necesidades insatisfechas dentro de mí.

Opción consciente y empoderada

El recorrido espiritual busca que volvamos a la claridad del campo de energía personal: hermoso, poderoso, divino e impoluto de las energías (creencias, temores o sueños) ajenas. Se trata de ser sólido en la identidad del propio ser eterno, libre de miedos y amenazas, viviendo con total seguridad en la belleza del "ahora". Éste es el recorrido espiritual, una promesa permanente de gozo.

De hecho, toma apenas un segundo experimentar el gozo del desapego, de los sentidos quietos que nos llevan a no desear más. Pero requiere un compromiso constante cultivar ese espacio dentro nuestro, porque el mundo público junto a nuestras creencias se acompaña de nuestros sentidos, engañándonos con la ilusión de que obtendremos una satisfacción de algo o alguien externo.

En resumen

Muchas veces se ha descrito el sexo como algo sublime, exquisito, interesante, divertido, tierno, cariñoso. Pero cualquiera que lo ha experimentado sabe que también puede ser superficial, insatisfactorio, humillante, deprimente, destructivo. Una vez inmersa en la energía ajena, ya sea atrayendo energía hacia uno misma o a través de la transacción sexual, queda uno presa de un intercambio kármico y de una búsqueda continua para recuperar para uno misma esa energía perdida.

Aquí no hay correcto o incorrecto, ni juicios morales o religiosos que entregar. Sólo una invitación a estar atentas al impacto que una identidad sexual y una relación sexual tienen sobre nuestro bienestar emocional y espiritual. Si apoya tu evolución y es inofensivo para los demás, adelante. Pero mantente despierta, porque si pierdes la conciencia perderás lo más precioso.

Sin embargo, si notas que tus actos u opciones no están de acuerdo con objetivo en la vida, quizás sea tiempo de reconsiderarlos. Experimenta. Observa. Mantente despierta. El recorrido espiritual es un laboratorio para experimentos personales. No hay duda de que existen verdades universales que apoyan a cada ser humano en su trayecto, sin importar quién sea ni de dónde venga. Pero incluso éstas deben comprenderse personal e individualmente, y hacerse realidad para cada uno a través del propio darse cuenta.

MI VIDA COMO UNA OBRA DE ARTE

En mi estudio espiritual de hoy estaba la idea de convertir todo en mi vida como si yo fuese un artista creando arte a cada momento. He oído antes este concepto, pero hoy resonó en mí de un modo diferente. Salí a caminar, y daba cada paso como si fuese una expresión artística. Noté que cuando pensaba en otras cosas y me desconectaba, mi cuerpo experimentaba extrañas reacciones. Varias veces se me tensó un músculo detrás de la rodilla. Otra vez mi cadera comenzó como a crujir. Pero apenas volví a estar presente como una artista, mi postura se corrigió, y me fundí con la tierra sobre la que caminaba y sentí la belleza del arte en desarrollo.

Luego de mi caminata fui a la terraza que da a un bosque tropical, exuberante. Allí practiqué Pranayama, el antiguo arte de la respiración. *Prana* es energía de fuerza vital, y en la tradición china se le conoce como *Qi*. Respiración, inspiración, vida. De nuevo practicaba arte.

Y luego, a desayunar. Noté que en ese estado de conciencia comía de un modo muy diferente. Más despacio, con un ritmo suave y una postura que permitía que la comida fuese bienvenida dentro de una forma abierta, y no que tuviera que forzarse a través de canales y cavidades torcidas.

Así continuó el día. Olvidaba de vez en cuando que yo era una artista eterna haciendo arte transitorio. Pero tuve cuidado con mis pensamientos, decidí que no permitiría que serpentearan por mi mente pensamientos irrelevantes, sin arte ni propósito.

Esa noche, mi meditación fue la más hermosa y precisa que he experimentado en mucho, mucho tiempo. Silencio lleno de arte. El arte de la concentración. Una conexión de corazón con Dios. Tenía tanta capacidad para elegir el silencio y la conexión sin tener que hacer un esfuerzo por aquietar mi mente. Por eso el yoga, la relación, fue profundamente satisfactoria. En momentos así, me doy cuenta de que siempre bastará con mi propia divinidad. Son esos los momentos que refuerzan el arte de la transformación.

Y entonces seguiré jugando en el terreno del artista, esculpiendo cada momento desde un espacio de gracia, desencadenando la magia del color con audacia y hermosura, cuidando la tela de mi mente y mi corazón… manteniéndolos limpios y despejados, listos para recibir una obra de arte valiosa.

Imaginen si todos viviésemos como artistas y nuestras vidas fuesen obra del arte. ¡Qué maravilla!

LIDERAZGO

Años atrás, cuando dirigía un retiro de las Cuatro Caras en Melbourne, Australia, conocí a una mujer que creció, se casó y comenzó su familia en Bosnia, durante la guerra civil y la "limpieza étnica".

Le pregunté si podía describir cómo era vivir en una zona de guerra. Obviamente, lo que compartió fue horrible. En cualquier momento –caminando en la calle, al salir de compras, tomando un café– podía haber un bombazo, un disparo, granadas. Ella tenía dos hijos pequeños de cuatro y seis años de edad. Le pregunté cómo podían los niños soportar ese horror.

Se quedó callada. Luego de haberse ido a un lugar profundo dentro de sí, diez segundos más tarde regresó: "¿Sabes? Es divertido. Cuando algo terrible sucedía, la primera cosa que hacían los niños era mirarme. Si yo estaba bien, entonces ellos estaban bien".

Creo que escuché esta historia hace diez años, pero aún me parece tan poderosa como entonces. En estos tiempos de cambio profundo, de extrema confusión, la gente sigue a aquellos en quienes confía, aquellos que los aman y demuestran la mayor estabilidad, constancia y fuerza.

Día por medio recibo un correo electrónico de alguna organización, grupo o institución de aprendizaje que intentan venderme programas para desarrollar liderazgo. Yo misma he ofrecido programas de desarrollo de liderazgo. Solemos hacer listas de las cualidades de los más grandes líderes, y los vamos nombrando: Mandela, Gandhi, Martin Luther King (hay un veto obvio sobre las mujeres ejemplares). La gente se alegra al conocer y comprender la competencia y capacidad que algo así requiere. Se convencen de que los tiempos cambian y que se requieren nuevos estilos de liderazgo, que la Inteligencia Emocional es más importante que el coeficiente intelectual, que debemos equilibrar nuestros lados femenino y masculino (aunque rara vez lo articulamos en esos términos), que el nuevo liderazgo es más fluido y tiene menos que ver con dominar y controlar; etc.

Los asistentes regresan a su lugar de trabajo con una apreciación cognitiva (quizás), pero sin tener idea de "cómo" hacerlo ni serlo.

El modelo laboral industrializado que hemos heredado no sirve para un liderazgo más integrado. Es un modelo que la verdad no sirve para nada muy humano, sino que apunta más bien a un tipo de actividad más mecanicista, reduccionista; compuesto de partes, arreglos, manufactura, entrega.

Las mujeres entraron de verdad a las pistas del liderazgo en los años noventa. Sí, había antes algunas pioneras, pero eran pocas. En cantidades considerables, de verdad sucedió hacia la última década del milenio pasado. Algunas de estas mujeres tuvieron la lucidez y la fuerza y el coraje para retener su innato conocimiento femenino. Otras, no: se ajustaron y adoptaron al modo masculino prevaleciente; desequilibrado y de posiciones polarizadas.

Aquellas que se mantuvieron firmes y trajeron su "ser íntegro" al trabajo comenzaron a cambiar el sistema. Lenta pero muy firmemente.

Una de mis maestras espirituales, Sister Mohini, compartió conmigo algo profundo.

Una persona no puede esperar cambiar el sistema. Sin embargo, cada una puede ser auténtica, honesta consigo misma, y contribuir con lo mejor que tiene (sus especialidades, cualidades y fortalezas). Entonces el sistema absorberá aquello que le sea beneficioso y se ajustará para acomodar ese beneficio. De este modo es que cada uno puede cambiar el sistema.

Al escuchar esto me sentí muy inspirada. Volví hacia atrás en mi memoria y recordé todos los cambios que habían ocurrido –al menos, aquellos de los que estoy consciente– en los sistemas que me ocupan y a los que he contribuido a lo largo de mi vida adulta. ¡¡¡Guau!!! Quedé impresionada y por completo motivada. Fue un proceso en el que no tuve que vender mi alma. No me volví un clon de las partes conformistas de los sistemas, sino que logré ser honesta con mi propia autenticidad; o, al menos, tan auténtica como sabía serlo en esa época.

Por ello, el liderazgo transformacional puede y logra incidir en todos las esferas de una organización y un sistema. Sea ese sistema familiar, comunitario o social, empresarial o global… uno puede liderar y ejercer una influencia.

Dirigía yo un programa de un día sobre la Quinta Cara de la Mujer. Una de las participantes compartió que desde que había hecho el taller de las Cuatro Caras había cambiado su mundo entero. También dijo que había cambiado la vida de su familia. Todo para mejor. Tenía claro que ella era una líder, y que el nuevo liderazgo no tiene que ver con individuos que dirigen masas, sino con cualquiera que se comprometa con "ser auténtico" y hacer el necesario trabajo interno. Ese real liderazgo se convertirá en diferentes momentos en inspiración y guía para los demás.

Una de mis mentoras, a quien ya he mencionado aquí, Dadi Janki, cumplió noventa años en 2006. Cada año ella viaja a más de cincuenta países, motivando, inspirando y afirmando este tipo de liderazgo en los cientos de miles de personas a las que les habla y conoce.

Cuando estuvimos juntas en Beijing, para la Cuarta Conferencia de las Naciones Unidas sobre la Mujer, dirigí un taller sobre mujeres y liderazgo, y Dadi era una invitada especial junto a una senadora filipina. La senadora habló un rato sobre la importancia de la educación universitaria y de cómo en Filipinas las mujeres tenían esa oportunidad. Luego habló Dadi. Sólo cinco minutos. Fueron cinco poderosos minutos en los que dijo que ella había tenido sólo tres años de educación formal, entre los 11 y los 14, y que todo su entrenamiento para el papel global que ella desempeñaba había sido educación espiritual. Habían sido educadas su alma, su personalidad. Y que la meditación había vuelto poderosos a su mente e intelecto; que el estudio espiritual le había dado la capacidad de razonar, decidir y convertir el conocimiento en sabiduría para transformar su vida y las de los demás. Que ser una hija de Dios le daba la capacidad de sentir las necesidades ajenas, comprender las necesidades del momento y comprometerse a servir a su familia humana en todo el mundo.

Dos días después de este encuentro, Dadi compartió sus ideas con la asamblea de la ONU. Ella había participado en la Cumbre de Río sobre medio ambiente, y mantenido conversaciones con algunos de los líderes mundiales en ciencia, negocios, medios de comunicación, educación y gobierno. No mide más de un metro cincuenta pero a los noventa años de edad es una generadora de conocimiento, claridad y experiencia. Todo eso, con apenas tres años de educación formal.

Por eso, si van a talleres, seminarios y entrenamientos sobre liderazgo en los que no se hace mención a "cómo" ser emocionalmente inteligente, y no se las involucra en un proceso de aprendizaje para toda la vida ni está en relación directa con el desarrollo de las capacidades internas, me atrevo a decir que no están de verdad comprometidas con el liderazgo.

Hace muchos años mi hermano Steve me dio un librito, creo que se llamaba *El hombre que lo comprendió todo*. Su autor tuvo una experiencia trascendental de desdoblamiento. Se enfrentó cara a cara —más bien, luz a luz— con Dios. Según lo que recuerdo, describía la experiencia como la de sentirse por completo libre y bajo el brillo de una iluminación extraordinaria. Entonces descubrió que era capaz de aprender y hacer muchas cosas. Se convirtió en un avanzado arquitecto, matemático, escultor, quizás también doctor... ahora me falla la memoria. Sólo por mantenerse conectado con su propia esencia de luz —más allá de la realidad transitoria de su cuerpo hecho de elementos—, se volvió un maestro de la materia.

Hay una historia que otra vez me llamó mucho la atención, y me ayudó a ganar mucha seguridad para mi vida profesional. Es sobre un hombre que tenía muchas ganas de llevar a su novia a la ópera. No tenía nada de dinero y las entradas eran muy caras, algo así como setenta dólares por pareja. No tenía idea de cómo iba a conseguir una suma tan grande de dinero, pero estaba seguro y convencido de que su novia y él irían a la ópera.

Entonces, el día que se vendían las entradas se paró con firmeza en la fila con la idea fija de que de algún modo iba a tener entradas al final de esa jornada. Se mantuvo conectado con su luz y con la fuente de luz, y esperó. Había un hombre detrás suyo en la fila quien, después de un rato, comenzó a impacientarse. El hombre le ofreció cinco dólares para que comprara por él las entradas. Le dio su nombre y dirección, y el dinero para dos entradas más los cinco dólares. Al poco rato, más personas hicieron lo mismo. Y, por supuesto, el sujeto llegó a tener el dinero para comprar sus propias entradas.

Esto demuestra el poder de lo que uno se propone. Si uno se aferra con fuerza a un objetivo éste encontrará el modo de manifestarse. Me llamó la atención que en esa historia él contaba que nadie le había pedido su nombre o dirección. Todos le habían dado considerables sumas de dinero ganado con su sudor, y esperaban que hiciera buen uso de su inversión de cinco dólares. Y así fue.

La gente necesita confiar en el líder. Cuando las personas se sienten inseguras, atemorizadas y dubitativas, ¿es uno digna de su confianza? ¿Acaso tu personalidad es lo suficientemente fuerte para no ponerlas en riesgo ni abandonarlas si las cosas se vuelven difíciles? ¿Sabes estar bajo tu propia luz y la luz de Dios para que tu honor sea incuestionable?

En mi trabajo, durante ocho o nueve años no hubo ni una persona que me preguntara dónde había estudiado transformación organizacional o negocios. Ni una. Mi educación es muy ecléctica, con su foco principal puesto sobre lo espiritual. Así aprendí sobre los sistemas humanos, el modo que tiene el alma para organizarse, qué es lo que quiere, qué hace para conseguir lo que quiere y no sabe cómo, qué es lo que la libera de aquello que la atrapa y mantiene atascada en patrones que no le ofrecen apoyo, qué tan débiles son los sistemas existentes y qué se necesita para de verdad potenciarnos.

Casi todo mi trabajo (soluciones, propuestas e intervenciones) ha sido creado a partir de una mente quieta y el estudio de principios espirituales universales. Las pocas veces en que no partí desde ahí, no pude realizar el trabajo o éste no resultó el éxito "brillante" que habían sido otros encargos.

Siempre he sabido que estar comprometida con el propio trabajo espiritual, el fortalecimiento del carácter y la iluminación del alma hará que podamos liderar individuos, grupos y sistemas hacia un orden superior de ser y hacer. Y que seremos confiables al hacerlo.

Mujeres que cambian el mundo
Por Dadi Janki, desde Hamburgo

De acuerdo a la Ley Natural, hombres y mujeres debiesen tener la misma importancia en la sociedad. Pero como no ha habido un equilibrio al respecto, las mujeres están ahora intentando alcanzarlo. Es un cambio poderoso y positivo que ya está en marcha alrededor del mundo. Cada vez más mujeres reconocen su propio valor, quiénes son y lo importante que es su rol. Su conciencia crece con rapidez.

La mujer actual no quiere reprimir a los hombres; sólo busca mantener una digna igualdad. Muchas veces, que alguien sea exitoso se convierte para algunos en un estorbo. La actual generación no es lo suficientemente altruista para preocuparse de que los demás progresen. Tomando en cuenta ese defecto, debemos sobre todo evitar sentirnos descorazonadas o perder nuestra autoestima, para así llevar valientemente a la práctica nuestras virtudes y poderes. Nunca debemos ignorar a los demás, sino que brindarles nuestro respeto, y si llegamos a ser ignoradas debemos ser tolerantes. En tales circunstancias las mujeres tienden a perder rápidamente la confianza en sí mismas, porque no usan su poder de Tolerar. Quien permita que se le abandone desarrollará sentimientos de dolor, y entonces sus poderes y virtudes se verán disminuidos. Y luego desaparecerán su felicidad y entusiasmo. Hoy en día, cuando alguien quiere hacer algo benéfico, surgen múltiples obstáculos, y por eso hay tres valores esenciales que tomar en cuenta para superarlos: coraje, fe y honestidad.

En lo personal, tengo absoluta fe en que, si soy valiente, Dios me ayudará. Si soy honesta en lo que hago, el triunfo está garantizado. Y si tengo la convicción de que lo que hago es correcto, automáticamente obtengo poder. Ésa ha sido mi experiencia personal en los últimos sesenta años. Incluso cuando sucede algo desagradable, no me siento herida. ¿Por qué tendría que sentirme así? El coraje, la fe y la honestidad se han marcado tan hondamente en mí que no hay temores ni preocupación.

Todas debiesen sentirse libres de temores y preocupaciones, y así sentirse positivas y decididas. Todas debiesen primero hacer un esfuerzo para mejorar su propio ser y volverse un ejemplo, una obra maestra. Cualquier trabajo realizado con honestidad y desde el corazón será siempre exitoso. Para ello se requiere un corazón honesto, limpio y generoso. Nunca sentir ni pensar que alguien me ha roto el corazón. Necesitamos tener la sabiduría para hacer nuestro corazón inquebrantable. Si somos honestas y nuestras acciones son nobles, automáticamente nuestro corazón se fortalece. Incluso si alguien nos insulta debemos pensar que fue el papel de esa persona hacer algo así. Depende de mí ver si acepto o cómo acepto ese insulto. Debo tener el poder de tolerarlo. Quizás la otra persona sólo ha liberado alguna presión reprimida, ¿y por qué debería yo sufrir por algo así?

La gente dice que este mundo se ha vuelto tan dañino. ¿Quién lo ha corrompido y quién lo reformará? ¡Los seres humanos! Y, en especial, si son las mujeres quienes asumen ese desafío el mundo mejorará rápidamente, pues ellas están más entrenadas para trabajar de modo incansable y sin egoísmos, poseen la virtud del servicio y no están preocupadas del dinero ni de los cargos. Sólo quieren hacer algo positivo, sin esperar nada a cambio.

El poder de las madres

Recién cambié la imagen del escritorio de mi computador (es un Apple Mac y ¡lo adoro! Tras años de trabajar en un PC volví a Mac, que te permite ser un ser humano, pues ama el color, las formas, el movimiento, y es tan divertido como eficiente. En las pruebas para equilibrar los hemisferios cerebrales, así como las energías masculina y femenina, Mac gana por lejos).

Pero basta de promociones. Cambié la imagen. La semana pasada tuvimos en Santiago de Chile un hermoso programa sobre qué les han enseñado las madres a sus hijos sobre Liderazgo y Amor. Como parte de la jornada, exhibí unas diapositivas que mostraban a madres en acción. Antes había escrito a mi familia pidiéndoles fotos de mi madre y otras madres junto a sus hijos. Mis hermanas Collen y Donna me enviaron algunas maravillosas. Coll me envió algunas mías. Como en verdad yo no tengo fotos (a excepción de unas diez que están en una bodega en algún lugar de Australia), tuve la oportunidad de rememorar.

La foto que he escogido para mi escritorio es de cuando tenía nueve años de edad. Me encanta. Me sube el ánimo cada vez que la veo; me lleva a un profundo recuerdo sentimental muy dentro mío. Allí luzco de un modo en el que amo el sentimiento de ser yo. Una pureza del ser, una conexión melancólica con la imaginación, una dulzura que no ha sido contaminada, un tipo de unión protegida y cariñosa con algo Divino. Hay tanta belleza allí, justo antes de que la sexualidad me volviese hacia afuera para empezar a verme y moldearme desde ojos ajenos. Cuando miro esta foto siento la emoción de la pérdida, el dolor de estar anhelando un tiempo ido. Hay tanta suavidad, un modo delicado de ser, un sentido contenido del ser, aunque recuerdo haber sido una niña no tan segura, un poco a tientas en el mundo. Me encanta esta foto porque me cuenta una historia de mí misma que yo había olvidado. Puedo identificarme con facilidad con la dulzura que hay en mí, la pureza eterna que siento que cobra vida cuando me conecta con esa pureza que veo en la foto.

Recuerdo además que mi madre hizo ese vestido. Era de colores agua y púrpura.

Cuando mi madre se casó no sabía hacer nada doméstico. Ella había sido el bebé de su familia y estaba por completo malcriada. Pasar a ser la madre de cinco hijos fue, de hecho, muy desafiante. Pero su amor y compromiso la hicieron aprender cosas. Como coser. Cuando tenía cinco años, nuestra escuela tuvo su primer espectáculo. Recuerdo a mi madre haciéndome un hermoso disfraz, y que me fui vestida de Caperucita Roja. De dónde sacaba el tiempo o el dinero o la energía para hacer algo así es algo que jamás sabré. Yo tenía cinco años, mi hermano Stephen, tres; Julie, dos; Donna, unos pocos meses; y Collen estaba en el útero.

Así es que aparte de no tener tiempo ni energía, tampoco había dinero. Mi madre era increíblemente creativa. Ingeniosa. Recuerdo cuando mi padre, sus hermanos y otros amigos remodelaron la casa para hacer caber otro dormitorio (cinco en una pieza era demasiado). Mamá atacó uno de los viejos estantes de la cocina. Durante la noche, después de que todos se habían ido a acostar y ella había terminado de limpiar la cocina, comenzaba su siguiente trabajo: los regalos de Navidad y de cumpleaños. El estante era de un estilo antiguo, redondeado. La siguiente vez que lo vi fue en la mañana de Navidad. Estaba brillante y de un blanco radiante. Tenía cortinas a pequeños cuadros azules y blancos. Y había títeres. Mi madre, Joan, nos había hecho un teatro de títeres. Era tan mágico. Pero aun más mágica era la creatividad de mi madre. Amaba jugar con nosotros;

inventar, actuar y cantar. Una vieja repisa se transformó por obra de su amor, cuidado, creatividad y dedicación en un mundo de magia. Es de verdad notable lo que pueden hacer las madres.

Un amigo político en Australia quería involucrar a la comunidad en su programa de educación, tecnología y medio ambiente. Se lamentaba de que cuando salía a recorrer las comunidades rurales, el alcalde no parecía en absoluto interesado en el futuro. Tampoco los líderes empresariales ni comunitarios. En ese momento recuerdo haberle dicho que no estaba logrando que la gente se involucrara porque les estaba preguntando a las personas equivocadas. Son las madres quienes se preocupan por el futuro. Están conectadas al mañana por un cordón umbilical. Incluso si no saben sobre educación, tecnología ni medio ambiente, si algo así repercute en el futuro de sus hijos encontrarán un modo de aprender. Es cierto, no todas las madres tienen esa energía. Pero muchas sí.

Fue en el desierto central de Australia donde conocí y entrevisté a Diana. Había crecido en Sydney, y me contó una historia fantástica sobre su madre y el poder de las madres para tener una influencia en el futuro.

Hunters Hills es un suburbio lleno de árboles situado en el puerto. Cada día después de clases y durante los fines de semana, los niños del área corren, juegan y disfrutan de las áreas verdes que son parte de su barrio. Una tarde, Diana llegó a su casa y encontró a las madres del barrio reunidas tomando té con un grupo de hombres vestidos con camisetas azules, pantalones y botas de trabajo. Me dijo que se había llevado una impresión más bien extraña: hombres medio sucios con sus grandes botas, sentados tomando té con estas madres de clase media. Sin embargo, tomaron té, y ella vio repetirse la escena durante los meses siguientes.

Años más tarde vino a comprender lo que había sucedido. Existió en los años setenta y ochenta un sindicato muy poderoso conocido como el B.L.F. (Federación Gremial de Constructores). Era conocido por corrupto y por estar asociado con círculos delictuales. Sin embargo, durante ese tiempo el B.L.F. mantuvo un fuerte compromiso con las medidas de "prohibición verde". Esto significaba que no permitían que ninguno de sus miembros (y todo constructor y obrero *debía* ser un miembro) trabajara en empresas que destruyeran los cinturones verdes alrededor de ciertas áreas de la costa de Sydney. En esa época había contratistas que ya tenían sus proyectos aprobados para construir en la ribera costera. La madre de Diana y sus amigas habían formado un grupo activista. Se habían reunido con los dirigentes del sindicato y habían logrado detener la construcción de unos edificios monstruosos que hubiesen aniquilado el entorno natural de su barrio. Hasta el día de hoy, luego de treinta años o más, estas áreas verdes permanecen como un testimonio del poder creativo y solidario, así como de la candor de estas madres.

LIBRE DE ETIQUETAS

Un día de mayo del 2006, yo estaba en Belo Horizonte, Brasil. Patricia y Bette habían organizado una visita a una prisión femenina para dictar allí una sesión de dos horas sobre las Cuatro Caras.

Mientras íbamos en el auto, fui teniendo una creciente sensación de incomodidad. Creo que en el pasado la hubiese reprimido, por no querer reconocer que sentía temor. Sin embargo, la lección de que "aquello que está en el camino es el camino" se ha vuelto tan fuerte en mi vida –gracias a mi querido padre, Kevin–, que una vez que entendí lo que sentía pude llegar a comprenderlo.

Otro amigo, Chris Connelly, ha compartido conmigo una de sus inspiraciones favoritas sobre el miedo: cuando sientas miedo, profundízalo; o sea, indaga en tu miedo. Apenas te adueñas de algo y lo "miras directamente a los ojos", eso pierde su poder sobre ti.

Estábamos ahí en un tráfico excepcionalmente pesado, y me sentía asustada de ir donde mujeres que, según lo que yo asumía, eran delincuentes de alta estofa… asesinas, incluso.

El poder de Retraerse fue allí crucial. Me encontraba atrapada en una fantasía que yo misma había fabricado, de inseguridades antiguas, de creencias proyectadas, sin base en una comprensión ni una experiencia personal. Esos pensamientos estaban condenando a estas mujeres. Al retraerme de la fantasía, de los pensamientos, pude observar el esquema interno de pensamiento/sentimiento que hubiese saboteado nuestra misión.

Me di cuenta de cuánta suerte tenía por haber recibido el regalo de ser capaz de pensar y percibir a través de un conjunto nuevo de filtros. Comencé a pensar que estas mujeres eran almas, pues ciertamente no eran "prisioneras". En el montaje de la vida, a ellas les tocaba ahora este papel debido a opciones tomadas en determinadas circunstancias o situaciones; pero no era eso lo que ellas eran. Al etiquetarlas, sólo generaba juicio, temor, separación, defensa, desconfianza, enojo, control, distancia y así.

Entonces, en esos pocos momentos en los que estuve en la parte trasera del auto, mientras Patricia y Bette conversaban ajenas a la película interna que yo protagonizaba, recuperé mi sanidad y, al hacerlo, fui capaz de devolverles a esas almas su dignidad.

Llegamos a la prisión. Nadie nos estaba esperando. Había una persona que podía abrirnos el portón que daba al patio, pero justo no estaba. Habían confirmado nuestra visita sólo tres días antes, pero parecía no haber mucho interés sobre lo que habíamos llegado a hacer. Esperamos por unos veinticinco minutos antes de que alguien pudiera decirnos algo.

Mientras caminábamos hacia el doble portón de fierro que nos llevaría a las escaleras que nos dejarían en un gran espacio abierto cerrado de cemento por los cuatro lados me sentí confundida, curiosa y, sin embargo, bastante en paz.

Las mujeres que allí estaban encarceladas no sabían del taller, y las guardias anunciaron sobre algo que iba a suceder, por si alguien quería venir, porque iba a empezar.

Fuimos guiadas bajo la galería, a un cuarto en una esquina. Era oscuro, sólido, y acumulaba todo el ruido de la conversación de las mujeres que estaban sentadas afuera protegiéndose del calor bajo la cubierta. Al otro lado había un par de pequeñas ventanas en alto que no permitían el paso de mucha luz pero que eran un canal de bienvenida para el ruido de los camiones afuera. Las sillas parecían pertenecer a antiguas cuadrillas de presos. Del tipo que se acoplan en grupos de tres. Vinilo café. Destartaladas y funcionales. Intentamos formar un círculo.

De a poco algunas mujeres comenzaron a entrar a la habitación. Con su uniforme lucían muy bien: blusa blanca y limpia, pantalones celestes gruesos. Muchas tenían sombreros tejidos, ajustados bien abajo, como si quisieran esconder sus almas avergonzadas.

A estas alturas, el poder de Soltar ya era un muy buen amigo. Yo estaba teniendo sólo pensamientos puros y me las había arreglado para terminar con cualquier idea desgastadora o atemorizada. Sólo sentía amor, y un extraño y bello tipo de claridad. La guardiana se paró en la entrada del cuarto, como una presencia permanente que recordaba que en ese mundo nada era privado.

Las mujeres eran en su mayoría jóvenes. Algunas de ellas

conservaban un cierto esplendor, que aún no había borrado aquel lugar frío. Una vez que estuvieron todas sentadas, comenzamos; aunque había como un movimiento constante de entradas, salidas y vueltas a entrar que nunca llegué a entender. ¿El recreo, quizás?

No puedo recordar mucho de lo que dije, más allá de haberlas motivado a que no creyeran en las etiquetas que la gente les ponía. Que eso de "prisioneras" era algo temporal si ellas así lo elegían. Que era la consecuencia de una o varias malas opciones. Si continuaban viéndose a sí mismas como prisioneras, entonces las opciones que tomaran a futuro coincidirían con esa visión de sí mismas. Y que si, en cambio, podían liberarse de aquella etiqueta y cuidar su mundo interior podrían comenzar a tomar otras opciones.

Creo que este pedazo de sabiduría contribuyó, pero lo que siento que en realidad logró hacer una diferencia fue ver a estas almas sin etiquetas, algo que con los años yo había aprendido. Verlas en su pureza original, antes de que fuesen remodeladas por nuestro mundo enfermo. Éste es un regalo del que siempre estaré agradecida.

En un momento una de las mujeres me interrumpió y dijo: "¡Tú podrías estar en cualquier lugar y estás aquí con nosotras, en prisión! ¿Por qué?".

En ese espacio, en ese momento, escuché y esperé que la respuesta surgiera en mí.

Suerte. "Suerte", dije. "Me siento en realidad afortunada, bendecida, de que Patricia y Bette hayan organizado esto. Aquí estoy en un ambiente que es hermoso, rico, profundo y, lo más importante para mí, REAL... sin pretensiones".

Entonces alguien dijo lo increíble que era que alguien se preocupara por ellas. Habíamos tres de nosotras allí, preocupadas por estas almas que de algún modo habían tomado una curva equivocada en sus vidas.

Luego de alrededor de una hora y media, sugerí que intentáramos algo de meditación. Por supuesto que, en ese preciso momento, el ruido aumentó. Los camiones de repartición golpeaban puertas y dejaban caer cajas, y el murmullo de las mujeres formaba un eco que rebotaba afuera. Bette puso algo de música suave y meditativa. Era una locura. Esta música suave, tranquilizadora, se convirtió en otro sonido caótico en medio de la cacofonía ambiental. ¡Se apagó la música! Y meditamos.

Debo admitir que, al comenzar, no tenía idea de sobre qué se trataría la meditación. Sólo esperé y confié en que algo me guiaría.

CONFIANZA: siempre ha sido un asunto clave en mi vida. Sospecho que escribiré un largo capítulo sobre esto, porque pienso que es lo que nos falta, y que si la confianza estuviese plenamente viva dentro nuestro la vida sería magnífica. Me digo a mí misma que, como alma vieja que soy, y habiendo viajado por los estragos del tiempo, siendo golpeada y maltratada por vidas en las que he perdido mi poder y mi sabiduría, estableciendo modelos de supervivencia…, por supuesto que la confianza es un tema.

Y aun así, la falta de confianza es un estado tan endeble en el que vivir. La falta de confianza es un estado de miedo, de tensión, de pataleo y resistencia. Es un lugar de control. De no tener fe en uno misma para manejar lo que venga. De no tener fe en nuestros actos ni en que las buenas acciones devuelven sólo buenos resultados. De no tener fe en Dios ni en que yo estoy en la luz, y que por eso mi vida está iluminada y libre de sombras.

Siento que haber bailado en las sombras ha constituido un modo de ser que se ha grabado profundamente en mi psiquis. Requiere atención traer la luz de Dios y de mi divinidad a mi mundo y a un ritmo diario, momento a momento. Requiere compromiso, requiere estar presente.

Aliarse con las sombras significa que uno evita sentir el miedo asociado a la falta de confianza. Esta evasión se comprueba a través de diversas adicciones, incluyendo la sobreactividad. La actividad imparable es una estupenda manera de no sentir el temor de la incertidumbre y la desconfianza. Este temor –de hecho, cualquier temor– es una realidad construida, que toma un componente del pasado y lo proyecta al futuro, extrapolándolo para generar una condena. Y entonces cuando esa condena se vuelve insoportable debo negarla, reprimirla, evadirla y hacer lo que sea.

Con los años he aprendido a confiar más. Y eso me ha llevado a algunos lugares notables; dentro mío, en mis relaciones, en la meditación y en el mundo. Son regalos de la confianza la soltura, el flujo, la maravilla y la magia. El desafío radica en mantenerse lo suficientemente quieta y presente para reconocer viejas pautas de proyección y de generación de temores internos a partir de pensamientos. El miedo es creer que yo no tengo poder para influir en una situación futura. Y eso es, simplemente, una falta de conocimiento, un olvido.

Todos creamos nuestro propio destino, incluso si las influencias en nuestras vidas han sido difíciles. Cuando estuve en un taller en el norte de Chile, alguien me confió lo siguiente:

Dos hermanos. Su padre había sido un violento alcohólico. Uno de ellos creció y se convirtió también en un alcohólico, viviendo a costa de beneficios estatales, incapaz de mantener un trabajo ni una relación, ni de ordenar su vida. Cuando le preguntaron por qué vivía así, respondió: "Es que mi padre era alcohólico".

El otro hermano era un alma equilibrada, satisfecha, con un buen matrimonio, un buen sueldo; alguien que, en general, tenía una buena vida. Cuando le preguntaron por qué vivía así, respondió: "Es que mi padre era alcohólico".

Podemos continuar lamentando las influencias y opciones del pasado, dándoles vueltas en nuestra mente, culpando a los demás y a la vida; o podemos darnos cuenta de que el pasado sólo nos influencia porque lo mantenemos vivo en nuestros pensamientos. Esto requiere un fuerte anclaje en el presente para reconocer los muchos, muchos pensamientos que nadan por nuestra mente pidiendo atención.

Todo pensamiento tiene el poder de manifestarse

Los pensamientos antiguos van tallándose en la mente subconsciente y consciente durante toda una vida, y deben ser contrarrestados de una manera poderosa y proactiva. Debo reconocerlos como algo que no es real. Estos pensamientos son simple residuo, sobras, como el almuerzo del domingo pasado que ha estado escondido al fondo del refrigerador hasta pudrirse. Ni siquiera pensaríamos en comernos algo así, y sin embargo consumimos las sobras podridas de nuestra mente.

Nuestras vidas son creadas a partir de nuestros pensamientos. Si no escogemos pensamientos nuevos y poderosos y positivos sobrevivimos con la energía menguante de pensamientos antiguos. Éstos podrían llegar a ser pautas de apoyo, pero pertenecen a otro tiempo y lugar. Me mantendrán en el pasado. Incluso si mi pasado fue positivo y disfrutado, ya pasó, y es peligroso recrearlo para el presente o el futuro. Los tiempos, personas, lugares, energías y dinámicas cambian. Lo que funcionó ayer no funcionará tan poderosamente hoy y lo más probable es que tampoco calcen en el mañana.

Escribo esto desde la terraza de la casa de unos queridos amigos. Gracias a Susana, Klaus y Elisa estoy en el hermoso y limpio aire de Isla Negra, en la costa de Chile, con vista el Océano Pacífico. Esta mañana, a las cuatro, estaba sentada en el marco de una ventana de su adorable casita, recordando mi eternidad y la belleza del modo como Dios me mira. Había luna llena y yo miraba el brillo plateado del calmo océano. Y entonces mi mente comenzó a jugarme trampas. Comencé a imaginarme qué haría yo si una enorme ola, un tsunami, avanzara hacia la costa. Formulé un plan. ¿Tendría tiempo de ponerme los zapatos? ¿Despertaría a Elisa y la arrastraría fuera de la cama? ¿Correría? ¿Podría correr? Muchos años de pesadillas recurrentes sobre maremotos han dejado su huella. Mi hermoso momento de las cuatro de la mañana se estaba convirtiendo en el inicio de una pesadilla. Detente. Usa el poder del intelecto para elegir darle un freno a esos pensamientos. Así lo hice.

Mientras estoy aquí sentada, observo el océano golpeando la tierra, levantándose desde lo que parecen aguas quietas para convertirse en una masa rodante de daño potencial. Machaca implacablemente las rocas y el sonido es continuo.

Posado sobre una roca, muy cerca del agua, hay un grupo de

patos. Llevan allí al menos cinco horas. Las olas amenazan y golpean, y se les vienen muy cerca, pero ellos no parecen inquietarse. Es cierto, es su territorio. Conocen el flujo y reflujo, comprenden el ritmo. Además, sospecho que no se molestan en pensar qué harán si el océano se levanta para devorarlos. De hecho, creo que no piensan en absoluto. Sólo están sintonizados. Y pueden volar.

Mientras observo la escena, escuchando el sonido gigante de las vastas aguas que rodean la tierra, recuerdo mis propias alas y lo innecesario que es pensar tanto. Más de una vez, Dadi Janki, me advirtió, rogó, imploró casi ¡que no pensara tanto! La mente es una enemiga o una amiga. Mis alas son la luz y la verdad. Silencio y amor. Libertad y eternidad. Abandonar el pensamiento asustado que está siempre proyectándose al futuro, sintonizar con la presencia del momento…, eso es liberación. ¿Puedo en realidad esperar que yo llegue a controlar o a ganarle al mar? Esta casa se levantó hace más de veinte años. Si en la única semana que estoy aquí viene un destructor tsunami, de seguro será parte de mi destino. Lo que sí sé es que mi felicidad, mi felicidad presente y futura, depende por completo de los pensamientos que hay en mi mente. Y puedo hacer algo al respecto. Sé que mi práctica diaria de sintonizar y regular mi propia identidad espiritual, mi eternidad, se debe a que sé que no moriré. Cuando Michael exhaló su último suspiro, y yo estaba tendida a su lado, lo sentí juntar la energía de su ser y retirarla de esa figura física que ya no sería su residencia. Cuando esa figura estuvo por completo vacía, yo aún podía sentir a Michael. Del mismo modo, sé que yo continuaré sin importar lo que pase.

Y entonces puedo relajarme. Como dijo Chris Connelly: cuando venga el miedo, lo profundizaré. Ocuparé el conocimiento, le hablaré al miedo, desmantelaré su estructura endeble, lo enfrentaré, desharé la ilusión, recuperaré mi estabilidad, mi fuerza, mi poder.

Confianza. Confiar en que al ponerle cuidado a mis pensamientos a cada momento, al alinearme con la acción correcta, el futuro está asegurado. Pero también hay que saber que habrá cuentas pendientes de pasadas acciones inconscientes que deben ser saldadas. Eso significa que habrá tormentas. De tanto en tanto se levantará el océano emocional, y en el tumulto de las olas de sentimientos, la atracción magnética del pensamiento-víctima buscará hacerme olvidar mis alas, soltar el bote salvavidas del desapego y el pensamiento claro.

En estos días vivo en Santiago y rezo por que haya tormentas. O, al menos, viento y lluvia. La contaminación aquí es tan horrorosa que algunas noches, cuando me acuesto a dormir, mis pulmones gritan por el dolor de tratar de trabajar en esta ciudad. Pero luego de la lluvia y el viento, el cielo se aclara y pueden verse los magníficos Andes coronados de nieve. El azul es muy, muy azul y mis pulmones se sienten dichosos.

En un recorrido espiritual siempre permanecen ciertas sombras amenazantes, esas impresiones pasadas del alma que nos impiden ser libres. A medida que nos vamos conectando con la luz de nuestro ser, vamos desenterrando las sombras. Cuando nuestro eje se inclina, los océanos de nuestro subconsciente comienza a moverse y cambiar, algunas veces marcándose con fuerza en nuestra mente consciente. Eso causa que dudemos, nos resistamos, escondamos, neguemos, escapemos a través de alguna forma de comportamiento adictivo (sobreactividad, comida, alcohol, drogas, sexo, televisión, etcétera).

Si en realidad pudiéramos confiar en que ésta es una tormenta que está despejando la contaminación del alma, y en que cuando termine los pulmones de nuestra mente inhalarán la luz de la liberación, le daríamos la bienvenida.

Me siento tan feliz de estar aquí. Tan feliz de que Susana me haya ofrecido este lugar. He sido bendecida con este día soleado y cálido del mes de junio, luego de haber capeado una tormenta personal la semana pasada. No me gusta la sensación de una tormenta, pero por cierto que le doy la bienvenida, porque me guía, me apunta sobre la dirección de mi más profundo saber. Lo principal es no convertirme en esa tormenta, no creer que el tumulto soy "yo", mantenerme a la vez como una testigo y una navegante. Cargar la nave con toda la experiencia, y usar las alas para tener una visión de altura y saber cómo se puede ir hacia el ojo de la tormenta, la calma. La calma no son las emociones desenterradas, sino más bien lo eterno, la mansedumbre, la profundidad. Esa profundidad que se reconoce en la visión de Dios como algo único y bello; incluso si la tormenta me deja confundida, y yo me veo y siento como una vagabunda. Manténganse serenas. Manténganse como observadoras. No hagan daño. Aclaren la sombra, no hagan nada que en el futuro pueda dejar más residuos que limpieza. Permitan que el pasado se despeje. Manténganse en el presente.

Al conocer el camino a la transformación espiritual me mantengo sabia; no me impresiono con facilidad.

En los últimos años he usado una frase de Louisa May Alcott para firmar mis correos electrónicos: "No me asustan las tormentas porque estoy aprendiendo a dirigir mi barco". Pienso que quizás ha llegado el momento de encontrar una nueva. ¡Quizás estoy invocando las tormentas! En las lecciones espirituales del camino del Raja Yoga, las palabras "tormenta" y "regalo" son una sola en idioma hindi.

Me asombró hace poco escuchar el relato de una mujer de Illapel, en el norte de Chile, quien se las arregló para revertir una tormenta como de pesadilla y comprender el regalo inherente en ella. Según explicó, no fue sino hasta hace poco que tuvo la distancia suficiente para encontrar ese regalo. Luego de la muerte de su hija en un accidente automovilístico, y de la separación entre ella y su esposo; de su enojo contra sí misma y Dios, al final encontró la paz y el perdón. Ha sido gracias a una tormenta tan violenta que ella ha dado con el camino a su propia verdad, su propio poder, su propia relación cara a cara con Dios. No es débil. No es una adoradora ni una pecadora. También es luz, vive en la luz del corazón de Dios. Sin separaciones, sin enojo, sin proyecciones. La tragedia de la muerte de su hija al final le devolvió la vida, una vida que ella no tenía idea que había perdido. Su historia fue tan poderosa, que mientras contaba su recorrido nadie se movió, y apenas respiramos.

La tormenta nos hace fuertes si estamos preparadas para ser fuertes.

La tormenta nos hace sabias si estamos preparadas para conocer la verdad.

La tormenta deshace nuestro ego si estamos preparadas para aniquilar la ilusión.

La tormenta nos da regalos que podemos compartir con los demás si somos suficientemente generosas para hacerlo.

La tormenta nos ofrece avanzar confiando en la vida, siempre que estemos preparadas para rendirnos a ese entendimiento mayor.

Entonces ahí estábamos, en la prisión. Yo esperaba, confiando en que me inspiraría y sabría qué hacer. Había practicado esto hacía años. Una mujer que conocí hace mucho tiempo me habló sobre Angeles Arrien, quien en Estados Unidos comenzaba sus charlas frente a cientos de personas diciendo: "Mi único don es aparecer y ver qué sucede". Para mí es algo parecido. Mi objetivo principal en la vida es estar disponible para el trabajo más alto y más puro. A veces me da pánico, no confío e impongo mi propia voluntad, pero ahora la mayor parte del tiempo soy capaz de esperar, sabiendo que conoceré el camino del orden correcto.

Y entonces, al comenzar la meditación, sugerí que era posible encontrar silencio incluso en el caos de todo ese ruido. Que nos sería sencillo, si sabemos que en la carretera del sonido hay pistas de silencio. Sólo debemos permitir que la mente se acomode en ellas.

"Ahora que están aquí sentadas, cierren sus ojos o déjenlos abiertos pero descansando sobre –¡ajá! ¡Ahí vino mi inspiración!– ese diamante dibujado en el suelo. Diamante. Imaginen un diamante, precioso pero cubierto de polvo y mugre. Saben que está ahí, pueden atisbarlo, pero necesitan que alguien lo limpie. Imaginen que la luz más pura y brillante fuese como un suave pero poderoso rayo láser, capaz de atravesar la oscuridad que cubre el diamante para limpiarlo por completo. Ahí está: un diamante puro, grueso, brillante, exquisito. Véanlo o siéntanlo. Resplandeciente. Hermoso. Ahora imaginen que ustedes pueden transferir su atención, su sentimiento, su sentido del ser a ese diamante... volverse el diamante… ahora. Siéntanse como si fuesen ese brillante, hermoso, fuerte y resplandeciente diamante".

Así lo hicieron. La atmósfera del lugar era tan quieta, tan silenciosa. Aún estaban los camiones y el parloteo, pero también profundos espacios de silencio.

Compartimos luego la experiencia. Los rostros de las mujeres habían cambiado. Sus espíritus habían cambiado. Habían experimentado la verdad de su propia alma y el poder que algo así tenía sobre la naturaleza transitoria de la etiqueta de "prisioneras". Hubo risas, fotos y, al final, bendiciones, expresadas en tarjetitas hechas a mano con palabras alentadoras para cada mujer ahí presente. El gozo en ese lugar oscuro y frío fue sobrecogedor. Tanto así que atrajo a las demás prisioneras y las guardias que había en el galpón. Vinieron y se juntaron afuera, empujándose para entrar y ver qué pasaba.

Unos días después fuimos a filmar algunos de estos casos. Las mujeres se acercaron apenas nos vieron. Hablamos como con la mitad de ellas, y todas recordaban la experiencia del diamante y decían que sentían como si ellas fuesen el diamante. Muchas dijeron que habían practicado ser el diamante y verse unas a otras como diamantes. Según ellas, algo así lograba hacer una diferencia, incluso en ese lugar.

Qué bendición y privilegio es ser capaz de compartir una lección simple pero profunda, y luego esperar escuchar lo que me toca hacer, confiar y permitir, y no imponer mi voluntad. Al menos en ese momento.

Shakti desaparece

Shakti es una realidad y una función. Pero no el tipo de rol al que debemos aferrarnos. A diferencia del agente de cambio que es la Cara Moderna, Shakti es un agente de transformación, lo que significa que la autodestrucción es inherente a su función. Es probable que esto les suene muy provocador, pero intentaré explicarlo mejor.

A diferencia de la Cara Eterna, Shakti es un rostro anclado al tiempo. No es eterna. Podemos acceder a ella, usarla e interpretarla por momentos, períodos y, en particular, durante esta época de transformación. El desafío está en adoptar a Shakti como una función transitoria, no como una identidad a la que debemos apegarnos. ¿Por qué es esto un desafío? Porque ha sido precisamente ésa nuestra manera de vivir: asumir un rol, convertirnos en ese rol y luego perdernos en él. A través de Shakti regresamos a nosotras mismas, y una vez que lo hemos logrado su utilidad se vuelve redundante, irrelevante, innecesaria.

En el proceso transformador, Shakti es quien transmite la comprensión. Es nuestra parte sabia y poderosa que está siempre atestiguando, observando su propio recorrido. Shakti es la que puede trascender la atracción magnética de las Caras Tradicional y Moderna, y no confiarse en su poder de seducción. Es la que puede trabajar conscientemente con los Ocho Poderes para aliviar el tormento dentro de su alma y la de los demás. Como la Gran Madre que es, Shakti protege su propia inocencia, su propia pureza de ser. Una vez recuperadas, tiene la sabiduría para mantener la dulzura y belleza, y es fiera para cuidar su premio.

Shakti es la atención consciente a:

- quiénes somos
- de dónde venimos
- el viaje en el que estamos
- la tarea que debe realizarse ahora en el mundo
- cuál será nuestro aporte individual a esa tarea

- cómo percibir y administrar los patrones de supervivencia que nos sabotean
- el papel de Dios, en un sentido personal y universal, más allá de una fe religiosa

Y todo esto es un rol transitorio. Por eso, cuando llegamos a nuestro destino de "ser" y apoyar el "ser" de otros, Shakti muere.

El desafío radica en no atarse al rol que nos toca desempeñar. El arte está en desempeñarlo, pero ser el alma.

Luego de pasar años y vidas perdidas de nosotras mismas en roles e identidades proyectadas, el hábito hacia ellas es muy fuerte. Pero es peligroso, porque si hacemos lo que ese rol, esa cara, se supone que debe hacer, entonces ella también debe ser lo suficientemente libre para triunfar y luego desaparecer… para morir. El viaje a través de la confluencia –la convergencia de lo viejo y lo nuevo– es la sutil y resbalosa esfera de la ilusión. Durante el trayecto, los viejos esquemas egóticos se colarán al juego espiritual y nos harán creer que son reales. Podemos estar en un viaje espiritual, pero seguir funcionando de acuerdo a pautas pasadas.

Jason, un amigo australiano muy querido, fue quien primero me introdujo a la idea de que el camino espiritual es algo fundamentalmente diferente al modelo de logro de los siglos XX y XXI. Nuestra época propone –y nos ha convencido– que quienes somos no es lo suficientemente bueno, pero que apenas nos volvamos "otro" mejor (entendiendo por "mejor" algo construido por la conciencia colectiva de la época) entonces, y sólo entonces, será suficiente.

Muchas veces cuando comenzamos nuestro viaje espiritual revestimos nuestros esfuerzos con esa idea: debo ser la mejor al meditar, tener las experiencias más poderosas, ser la más honesta de corazón, la de naturaleza más dulce, el canal más despejado, la profesora más popular (y con el ego más pequeño), la más disciplinada, dedicada, honesta, etcétera. Todo en comparación con otros, midiéndonos siempre de acuerdo a un criterio externo. Encontrar ejemplos que nos inspiren, que nos entreguen un "espejo" para que veamos nuestro potencial innato, es otra cosa. Transferir el mismo modelo que nos llevó a perdernos es la antítesis del camino espiritual. La comparación, la competencia, coludirnos con la creencia de que algún día estaremos bien (pero que hasta ese día debo trabajar duramente en cambiarme), y que quizás entonces mereceremos estar cara a cara con la Divinidad, con Dios.

Otra vez es el ego y sus juegos de temor y control. Lo que me encanta del desarrollo espiritual es que parte de la base de que quien soy es suficiente, si tan sólo pudiera serlo más a menudo. El desarrollo personal no se trata de ser lo suficientemente buena y necesitar ser mejor. La paradoja es que una vez que me acepto a mí misma, todo cambia. Una vez que asumo mis sentimientos de vulnerabilidad, de evasión, de miedo, de incertidumbre y así, es que puedo comenzar a tomar algunas opciones... y avanzar. Cuando niego, evito, reprimo, no me quedan opciones, sino que más bien las energías que no he reconocido me sabotean en una dimensión inconsciente: exigen ser atendidas, llamando la atención, comportándose mal, cayendo en adicciones hasta alcanzar una fase consciente y ser, al final, apropiadas. Entonces, y sólo entonces, comenzamos a ejercer poder sobre esa energía. Cuando está escondida, da órdenes, determina y dirige todo desde las sombras. Una vez que adoptamos el sitial de Shakti –la postura de observador poderoso–, comienza el viaje hacia la recuperación de nuestro propio poder, fuerza, belleza, dignidad, verdad. Ése será un lugar poderoso desde el cual aprender. Más que salirme de mí misma, me hace capaz de encontrar y quedarme con más frecuencia en el centro de mi propio sentido del ser, y desde allí aprender cosas útiles para vivir.

Hace poco conocí a un hombre joven que está en una lucha contra su mundo entero, el cual ahora afecta su trabajo, relaciones y bienestar. Trabaja en leyes y es muy infeliz. Así es como comenzó nuestra conversación. Me preguntó por qué estaba todo el tiempo comparándose con otros colegas y sintiendo que él es menos. Su autoestima era muy, muy baja y en consecuencia su seguridad, sus relaciones y potencialmente su carrera se estaban viendo afectadas. A diario iba al trabajo no como John, sino como "el tipo de la corporación financiera". Además, lo que realmente quería hacer era cultivar fresas. Había perdido por completo el sentido de su propio ser, y estaba construyendo una identidad sobre terreno arenoso. En cuanto abogado, siempre había alguien mejor y alguien peor que él. Nunca descansaba ni estaba en paz con quien él era.

Uno debe preguntarse: "Si yo llegara al final de mi vida, y todo lo que pudiera decir es que fui el mejor o uno de los cien o mil mejores abogados corporativos del mundo, ¿sería eso suficiente?". ¿Es eso para lo que nació este joven? No lo creo.

De hecho, pienso que estaba sufriendo una "crisis de los 40" a los 32 años. Pero eso es prometedor. Significa que si escucha cómo su "alma" le habla, reconocerá su dolor como una señal, y evitará una crisis mayor cuando tenga 40 o 50 años. Puede recuperarse, si confía en su voz interior y avanza preguntándose cosas como "¿Quién soy?" y "¿Para qué estoy aquí?". Compartí con él algo que había escuchado muchos años antes y que todavía considero increíblemente útil:

Si quieres mejores respuestas, haz mejores preguntas.

¿Por qué no soy mejor que ella? ¿Por qué no soy inteligente, bella, exitosa, admirada, acogida, valorada, etc., etc.? Son preguntas que nos llevan a respuestas reduccionistas, posibilidades disminuidas. Es una herramienta útil en la vida aprender a hacerme preguntas que proporcionen a mi intelecto un lugar nuevo y positivo en el que indagar.

¿Qué señales veo que pudieran indicarme mi propósito en la vida?

¿Qué es lo que otros admiran en mí?

Si supiera que voy a morir en tres meses, ¿cómo cambiaría eso mi vida?". Y entonces: "¿Qué estoy esperando?

Si debo mantenerme despierta en este camino, ¿qué sé sobre cómo cuidar mi conciencia, mi claridad, a mí misma?

Si quieres mejores respuestas, haz mejores preguntas.

El ego sobrevive

El ego hará todo lo que pueda para sobrevivir. Ése es su trabajo. Cuando perdemos nuestra auténtica identidad, el ego emerge para permitirnos vivir el día a día (aunque, a veces, con temblores). Y ya sabemos qué pasa cuando la supervivencia se ve amenazada; se involucran todos los recursos y defensas, y el ego hace lo máximo que puede, manipulándolos del modo más hábil para así poder sobrevivir.

Crees haberte elevado a un estado de conciencia y un propósito superiores, pero, sin darte cuenta, es el ego que se ha colado para hacerte sentir bien sobre quién eres, lo que haces o hiciste. Así, tu identidad se encierra en ser "una buena persona", un "trabajador", un "instrumento de Dios". Sin embargo, si definimos nuestra sentido del ser a partir de una etiqueta, habrá ganado el ego. No importa qué tan valiosa sea la etiqueta.

Así es que ahí estaba yo, en Chile, como una invitada, una visitante. Estaba allí por una semana pero, debido a una histerectomía de emergencia, esa semana se convirtió en cinco meses, y mientras escribo esto ya va en un año y medio. En los primeros meses estaba muy feliz. Era útil, mi vida estaba en equilibrio. Mi mundo espiritual era fuerte, y había logrado una meditación cómoda, adorable, poderosa y dulce en todo momento, incluso durmiendo muy poco. Ya no tenía expectativas sobre los resultados. Estaba cariñosa, apoyadora y lúcida. Todas las cosas que he aprendido en mi vida estaban a mi disposición, si las necesitaba. Y me sentía bendecida, pues en la comunidad donde residía había una variedad de cosas en las que yo podía ser útil. Mi papel transformador de Shakti funcionaba bien, no me estaba imponiendo nada a mí misma, sino que me encontraba disponible para el trabajo de Dios, guiada en ese momento por una mente silenciosa y en paz. Y entonces...

El ego me agarró y exigió que Shakti fuese suya. Me aferré al papel de ser una transformadora. Fue tan astuto que no me di cuenta de lo que sucedía hasta que éste había destruido la experiencia sublime de la belleza y armonía, haciéndome regresar a algo más pedestre.

Por eso ahora estoy en el proceso de ser buena conmigo misma, de intentar recuperar la magia de Ser de modo constante y permanente. De ser responsable, pero sin carga. De hacer el trabajo y luego desapegarme. De tomar todos mis nutrientes desde la Fuente y no de los efectos.

Por eso es importante comprender que de vez en cuando seremos secuestrados, que perderemos la pelea. El ego es un maestro de la manipulación que está bien aceitado, y fue nuestro modo de sobrevivir cuando no conocíamos otro. De seguro conocerá o aprenderá cualquier truco posible para mantenerse vigente. Es su trabajo, su función, su razón de ser.

Mantengámonos en movimiento y a la vez, paradójicamente, quedémonos quietas. Redefiniendo: permitiendo que cada momento traiga algo nuevo. Soltando. Recordando que no estamos perdidas si podemos mantenernos despiertas, alertas, bondadosas y tiernas con nosotras mismas.

No enjuiciar

Al aceptar que olvidaremos y tropezaremos con antiguas pautas de supervivencia, cuando comprendamos que así son las cosas, entonces será posible emplear la herramienta alquímica del no enjuiciar.

Si el primer paso es ser capaces de mantenernos despiertas y tomar distancia, el segundo es no enjuiciar.

Cuando cumplí 40 años decidí que no quería otra década de intensidad e introspección ¡en el mal sentido! En mi esfuerzo de perfección, yo era tan pesada y dura conmigo misma, tan crítica. Estaba atrapada en el modelo del logro, y con cada sentencia que me dictaba perdía confianza, esperanza y energía. Recuerdo cuatro joyas que en esos días me dijo mi mentora espiritual Dadi Janki:

1. Piensas demasiado.
2. Si no sientes felicidad, entonces estás practicando un método equivocado.

3. No preguntes por qué. Eso sólo te hará sufrir.

4. De nuevo… ¡piensas demasiado!

Entonces practiqué no pensar tanto. Fue difícil pero lo hice. Y me ayudó.

Racionalmente, yo entendía eso de que si no me sentía feliz era porque seguramente estaba ocupando un método equivocado. Pero no entendía que esta autocrítica tan dura fuese un método defectuoso. De hecho, ni siquiera lo consideraba un método. Pensaba que así son las cosas. Hemos aprendido a "revisar y modificar". Revisarnos y luego modificar aquello que no es verdadero, real o bello. Puede ser una buena estrategia para evolucionar, ¡pero no si la acompañamos de castigos! Para cambiar debemos tener energía, confianza y fe en nosotras mismas, junto a un ambiente positivo y cariñoso. Una flor crece con cuidado y con las condiciones adecuadas. Lo mismo un niño. ¿Cómo pude haber siquiera pensado que autoflagelarme psicológica, espiritual y emocionalmente produciría un resultado positivo? Pero lo hice. Y muchos, muchos lo hacen.

Un querido amigo fue un instrumento para ayudarme a superar para siempre ese patrón. Durante una víspera de Año Nuevo estábamos hablando, reflexionando sobre cómo son las cosas y el año que terminaba. Yo sentía cierta melancolía por otro año que se iba sin que yo pudiera alcanzar la dimensión de espiritualidad que pensaba que debía haber alcanzado. Mi amigo es un personaje muy sensible, domina el "arte de ver a largo plazo". Tiene muy claro su objetivo, el regreso a su propia y absoluta verdad, y avanza de a poco, día a día, hacia ella. Y ahí estaba yo lamentándome y, debo admitir, esperando un poco de compasión de parte de mi buen amigo. Mientras hablaba, él pareció irse poniendo cada vez más distante y frío.

Y entonces, con completa imparcialidad y mucho amor, me preguntó:

−¿Por qué te haces esto?

−¿Me hago qué?

–Esto. Golpearte de este modo. Eres un alma tan buena, pero te la haces tan difícil. O sea, si te funcionara, bien. Pero es obvio que no funciona. Creo que será mejor que te busques otro método.

En ese momento definitorio me sentí a la vez choqueada y liberada. Choqueada de que alguien tan cercano a mí pudiese ser tan imparcial y directo. Y liberada porque alguien tan cercano a mí podía ser tan imparcial y directo.

Desde entonces he sido una estudiante a tiempo completo en el arte de la delicadeza y la bondad. Primero, hacia mí misma. He descubierto que si soy buena y tolerante conmigo misma es más probable que también lo sea con los demás. Si me trato con desdén y desprecio, y emito juicios duros, es probable que arrastre a los demás al infierno junto a mí.

Como con todo, existe un equilibrio que debe aprenderse, y una armonización e integración de polaridades que hay que hacer. La bondad, el amor y la ternura combinan estupendamente con el compromiso, el coraje y la firmeza.

Opciones y consecuencias

Hace mucho de mi educación religiosa castigadora y culposa. Pero sigo considerando muy útil asumir que mis opciones conllevan consecuencias. Mientras más lejos viajas en un camino espiritual, más sientes y reconoces las consecuencias de pensamientos y acciones. Si no estás alineada con tu propia verdad, te sentirás dubitativa, insegura, ansiosa; aunque sea un poco. Esta inseguridad provocará pensamientos y acciones autocentrados, como en un comportamiento de supervivencia. Esto se ha vuelto normal, pero trae consigo una serie de consecuencias no deseadas. La inseguridad siempre nos llevará a adoptar opciones enfocadas en la autopreservación, lo cual limita nuestro mundo. Nuestras vidas se reducen en entusiasmo y generosidad, en amor y esperanza, en potencialidad. Cuando hay miedo, hay oponentes y enemigos. La verdad se perjudica. La visión se hace más estrecha. Las elecciones son más pobres. Las consecuencias son pobres. Nuestras vidas se empobrecen.

Por eso, para avanzar y expandirnos en la vida con una sensación de apertura y abundancia, es crucial conocerse a uno misma y practicar la confianza en el "yo", aprendiendo a descansar en el propio Ser. Las opciones que se adoptan desde tu verdad siempre acarrearán consecuencias creativas, poderosas y positivas.

Ése es el objetivo. Ésa es la razón para que exista Shakti: devolvernos a ese estado natural de armonización pura, de vida irrestrictamente creativa, pacífica y armoniosa. Una vez que hemos retornado allí, el turno de Shakti se acaba; su rol queda obsoleto, su trabajo ya está hecho. Desaparece... hasta la próxima.

Profecía de Hopi Elder
Oraibi, Arizona; 8 de junio del año 2000

Le has dicho a la gente que ésta es la hora Undécima. Ahora debes regresar y decirles que ésta es La Hora. Y hay cosas que debes tener en cuenta:

> ¿Dónde estás viviendo?
> ¿Qué estás haciendo?
> ¿Cuáles son tus relaciones?
> ¿Estás en la relación adecuada?
> ¿Dónde está tu agua?
> Conoce tu jardín.
> Es hora de manifestar tu verdad.
> Crea tu comunidad.
> Sé bueno con tu prójimo.
> Y no busques a tu líder fuera de ti.

Entonces apretó sus manos, sonrió y dijo: "¡Este podría ser un buen momento! Hay ahora un río fluyendo muy rápidamente. Es tan ancho y veloz que habrá quienes se asusten. Intentarán aferrarse a la orilla. Sentirán que están siendo desgarrados y sufrirán muchísimo. Sepan que el río tiene un destino. Los mayores nos dicen que debemos soltarnos de la orilla, avanzar hacia el medio del río, mantener los ojos abiertos y la cabeza sobre el agua.

Y yo digo: miren quién está ahí con ustedes y celebren. En este momento de la historia no debemos tomarnos nada de modo personal, mucho menos a nosotros mismos. Al hacerlo, nuestro crecimiento espiritual y nuestro recorrido se detienen.

El tiempo del lobo estepario ya pasó. ¡Reúnanse! Eliminen la palabra "lucha" de su actitud y su vocabulario. Todo lo que ahora se haga debe hacerse de un modo sagrado y como una celebración.

Somos nosotros a quien hemos estado esperando.